JN056276

つぎに読むの、どれにしよ？

私の親愛なる海外児童文学

※

越高綾乃

かもがわ出版

私の蔵書より

旧版・新版・限定版などもあります
読み返しすぎてボロボロになったもの、
最近仲間入りしたものまでどれも大切な本たちです

『くまのパディントン』（8p）
『大きな森の小さな家』（14p）
『長い冬』（上巻・下巻）（21p）

『長くつ下のピッピ』
『決定版 長くつ下のピッピの本』(26p)
『がんばれヘンリーくん』
『ゆうかんな女の子ラモーナ』
『ビーザスといたずらラモーナ』(30p)
『グリーン・ノウの子どもたち』(34p)

そのときどきのお気に入り本は
いつも連れて歩いていました

『ヒナギク野の
マーティン・ピピン』（42p）
『小さなバイキング ビッケ』（49p）
『思い出のマーニー』
（上巻・下巻）（52p）

木の上にのぼっているつもりで
家の塀に腰かけて本を読むのが
大好きな保育園児でした

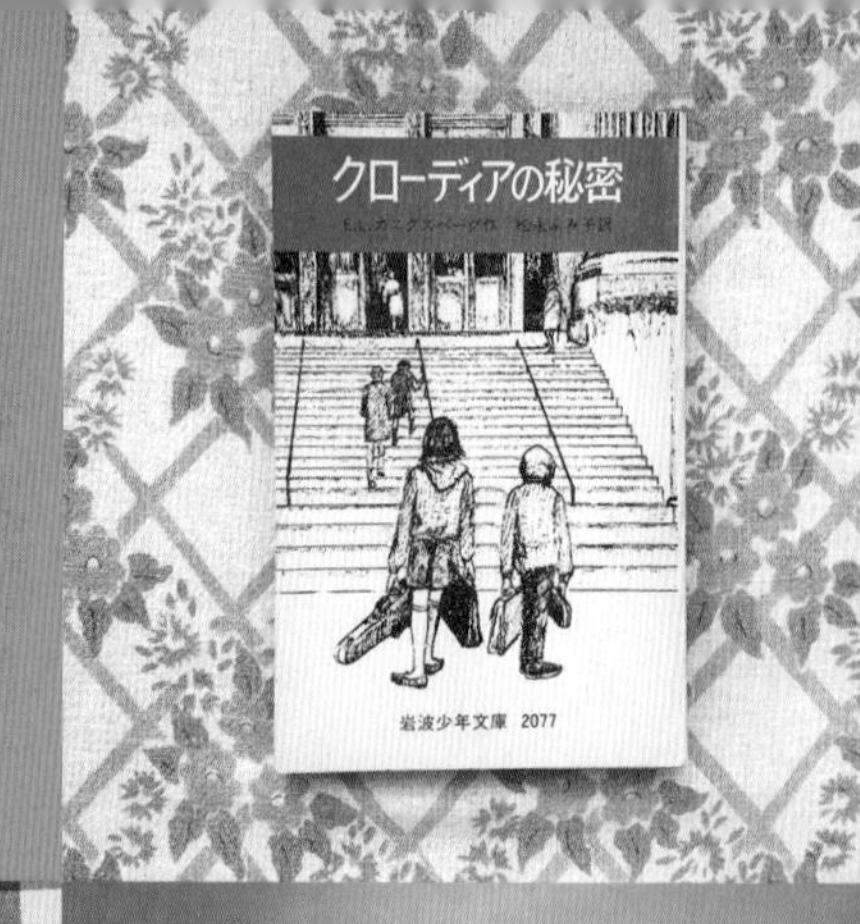

『クローディアの秘密』(57p)
『リンゴの木の上のおばあさん』(62p)
『トムは真夜中の庭で』(67p)

装幀や挿絵も読書の記憶の一部
お話にぴったりだと
愛おしさも増します

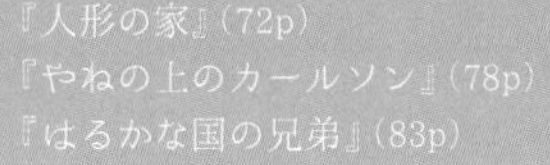
『人形の家』(72p)
『やねの上のカールソン』(78p)
『はるかな国の兄弟』(83p)

お料理やお菓子の出てくる
部分はとくに熟読し
ノートに書き写していました

『しずくの首飾り』(88p)
『時の旅人』(92p)
『魔法使いの
　チョコレート・ケーキ』(97p)

夏至、ハロウィン、イースター……
海外文化の仕入れ先は
たいてい物語の世界

『点子ちゃんとアントン』(102p)
『風にのってきた
　メアリー・ポピンズ』(107p)
『若草物語』
『若草物語 1 & 2』(113p)

いつ読みたくなってもいいように
引っ越しするたびに
一緒に移動する本たちは
まさに家族のような存在

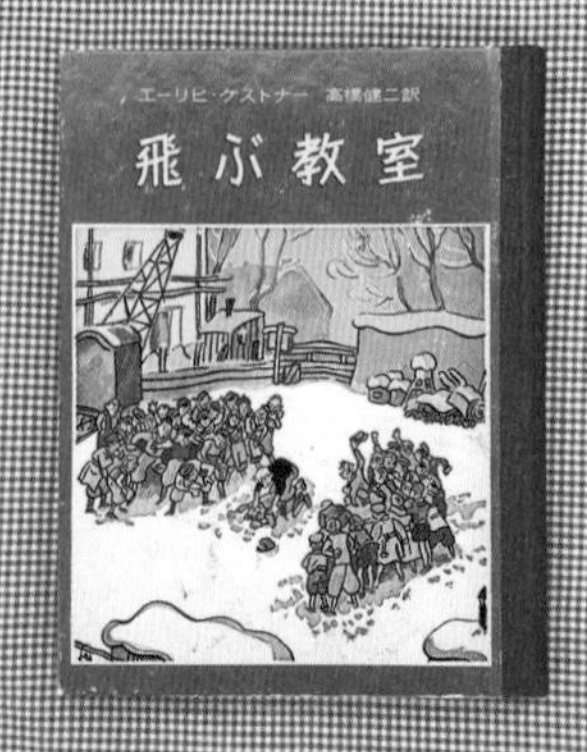

『飛ぶ教室』（120p）
『ウィロビー・チェースのオオカミ』（123p）
『やかまし村の子どもたち』（129p）

はじめに

子どもの頃からずっと生活のなかには本がありました。私の両親は子どもの本の専門店をしています。私にとって本を読むことはなによりも身近な娯楽でした。

成長する過程で、「絵本や児童書を好きな自分」がコンプレックスだった時期もあります。自分が絵本や児童書が好きなのは環境のせいで、自分自身が選択したものではないのかもしれないと思い、いつまでもそこから離れることのできない自分のことが嫌になったこともありました。本ではないものに夢中になったり、意識的に児童書ではない本ばかりを読み漁ったり……でも、どんなにほかのものに夢中になっても、自分のなかから長年読んできた本の要素を取り除くことはできませんでした。そのことをようやく認めることができ、あらためて児童書が好きな自分を許容することができたとき、ずいぶんと生きやすくなり、少し自分のことが好きになれました。

今回、とりあげてはいませんが、トールキン、サトクリフ、C.S.ルイス、ル・グウィンなど、いわゆる王道のファンタジーや冒険物語も夢中になって読みました。でも、それらは私にとっては少し背伸びしたよそいきなイメージの物語です。

それに対して、今回ご紹介する本たちは、ほんとうに身近な存在の物語です。ぼろぼろになるほど繰り返して読んだ本だけではなく、ふとしたときに読みたくなる本、いつでも読めるところにあると思うだけで心強い本などなど……理由はそれぞれ違いますが、いずれにしてもいまとなっては両親よりも長い年月を、共に過ごしてきている本ばかり。

自分でも笑ってしまいますが、ずっと読み続けてきたせいなのか、内面が成長していないせいなのか……いまだに、どの本を読んでも子どもの頃に抱いた気持ちを思い出すことができます。その頃には、胸の奥にしまって決して人には話さなかった本への想いを今回こうしてまとめてみて、本への愛情がさらに増しているのを感じています。読んでくださる方に私の想いが暑苦しく思われないか、いささか心配ですが、「こんな読み方もあるんだ」「こんなに好きと言っているならちょっと読んでみようかな」と思ってくださる方がいたらいいなぁと願っています。

越高綾乃

つぎに読むの、どれにしよ?——私の親愛なる海外児童文学　もくじ

装画 木下綾乃
装幀 土屋みづほ

つぎに読むの、どれにしよ？——私の親愛なる海外児童文学

「お十一時」はパディントンと
くまのパディントン

イギリスで有名なクマといえば、クマのプーさんとくまのパディントンです。ディズニーアニメになっているので、日本での知名度はプーさんが一歩リードかな？　と思いますが、最近になって映画が公開されたおかげでパディントンも有名になってきています。どちらの作品も、アニメから入っても映画から入っても、はたまたキャラクターグッズから入ってもよいので、もっともっと多くの人に原作のおもしろさを知ってほしいと思っている物語でもあります。

どちらも甲乙つけがたく大好きなクマの物語ですが、『クマのプーさん』の方は最後まで読むと少し寂しくなってしまうのに対して、パディントンのお話はいつ読んでも思いっきり笑えて、読み終わると気持ちが少し軽くなる……私にとっては、ちょっ

と落ち込んだとき、もやもやした気持ちが晴れないときの特効薬のようなシリーズです（今回もこの文章を書くのにあたり、少し確認したいことがあって拾い読みをしたら思わず吹き出してしまったくらい。展開がわかっていても何度読んでも笑顔になれるポジティヴなパワーを持った物語だなとあらためて思いました）。

この物語のおもしろさはなんといってもパディントンのキャラクターにあります。「暗黒の地ペルー」から密航してきたクマはパディントン駅でブラウンさん一家に見つけられ、パディントンと名づけられます。

初対面のときこそ不安げだったパディントンですが、ブラウンさんのお家に行く前に早くもそのトラブルメイカーっぷりを発揮。パディントンのいるところにトラブルありといってもいいくらい、彼のまわりには常に騒動が巻き起こります。

まったく悪気のないちょっとした失敗が思ってもいなかった大惨事を引き起こすことって、意外とよくあるものです。子どもの頃、「そんなつもりじゃなかったのに……」ということが大ごとになって大人から叱られた経験がある方、いないでしょうか？　私はそんなことばかりでした。

ですから、はじめてお茶を飲む場面での、ドタバタの大惨劇のおもしろさとパディントンの振る舞いに、一気に親近感とちょっとした優越感（いくらなんでも私はここまでではない……というほっとした気持ち）を抱き、パディントンが大好きになってしまいました。

このお茶の場面は、今後パディントンが巻き起こすあらゆる大騒動を象徴する場面です。

パディントンには彼なりの理屈や理由があって行動を起こすのですが、どこかで歯車がかみ合わなくなるととんでもないことに発展してしまうのです。それがよいほうに作用することも残念な結果になることもありますが、パディントン自身がいつも一生懸命なので、ブラウンさん一家をはじめまわりの人たちも読者も、どうしてもパディントンを憎めないのです。

それにパディントンはとっても家族思いです。パディントンの行動の多くは家族のためや人のためになにかしようという目的があります。それが必ずしも首尾よくいかないところが困ったところなのですが……毎回、パディントンが巻き起こす騒動に巻き込まれる家族の対応の仕方もこのお話の魅力のひとつ。読んでいるうちに、パディントンだけでなく、彼の周囲の人たちのことも大好きになってしまいます。ドタバタなお話なのに、ただおもしろいというだけではなく、読んだ後にとても暖かな気持ちになれるのは、パディントンとブラウン一家、周囲の人々の関係がとても素敵なものだからだと思います。

私はとくにパディントンとブラウン家の家政婦のバードさん、そしてパディントンと近所の骨董屋のグルーバーさんとの関係が大好きです。バードさんは一見、パディントンにいちばん厳しく接しますが、パディントンの性質を気に入っていることが、言葉や行動の端々から感じられます。……好物のマーマレードサンドウィッチを用意してくれますし、実はパディントンがほかの人にけなされたりすると、誰よりも憤慨して怒ってくれます。そんな、少し素直じゃないバードさんに対して、パディントンに甘々なのはグルーバーさん。敬意を持ってパディントンに接する態度がとっても紳士的です。それに、グルーバーさんといえばなんといっても「お十一時」の時間です。グルーバーさんとパディントンの「お十一時」の時間に欠かせないココアと菓子パンのティータイム。何度読んでもほっと心が和む場面です（余談ですが、子どもの頃はこの「お十一時」に憧れて、祖母や母にココアをねだったものです。いまでも、午前中になにか甘いものをいただく「お十一時」の時間が大好きです）。この二人をはじめ、パディントンのまわりの人たちの受け入れ力・見守り力は本当に素晴らしいです。

子どもの頃はパディントン視点でお話を読んでいましたが、パディントンが次にどんなことを巻き起こすのか、ただただワクワク読み進められたのは、「怒られて家から追い出されたらどうしよう」とか「嫌われてしまったらどうしよう」という心配がまったくなかったからです。それは、驚いたり、怒られたりしたとしても、パディントンのまわりには絶対的な味方がいるという安心が担保されているからだなと、大人になって読み返して思いました。この物語のそんなところが、いつ読んでも安心して笑える、特効薬のような存在であるゆえんなのかな。……もちろん私も大人になってからは完全にパディントン見守り隊の一員として、彼の行動を暖かい目で見守っています。

訳者である松岡享子さんが、「パディントンの物語には『上質なユーモア』がある」とお話されていたのですが、本当にその言葉がぴったり。どのページにもユーモアが溢れているというのが、こんなにも長いあいだ、愛され続けている理由かなと思います（ちなみに松岡先生のお言葉で、こちらも深く納得したのは「クマのプーさんが純文学だとしたら、パディントンは上質なエンターテインメント」というお言葉です。冒頭に書いた、私のなかでのプーさんとパディントンに対する気持ちにもリンクするので、書き留めておきます)。
これからも、多くの人がパディントンに出会ってくれますように。そして上質なユーモアを味わって、その楽しさに触れてほしいです。

『くまのパディントン』
マイケル・ボンド 作
ペギー・フォートナム 画
松岡享子 訳
福音館書店

家族のアルバム
インガルス一家の物語

私がはじめてこの物語に出会ったのは五歳のときです。いまとなっては当時どこにそんなに惹かれたのか思い出せませんが、とにかくこの力強い物語に夢中になり、インガルス一家が大好きになりました。

私につき合ってくれたのか、私が夢中になったのをおもしろく思ったのかわかりませんが、同じ時期に両親もこの物語を読み返しはじめたため、競うようにして本を奪い合い、黙々と読み進め、我が家ではしばらく大草原の小さな家の静かなブームが巻き起こっていました。振り返ると、この頃に物語を読むこと、物語の世界を味わうことの楽しさを知ったのかなと思います。

すっかりインガルス一家の物語に夢中になった私はシリーズを最初から最後まで読み終えたら、また好きなところをなめるように読み返し、インガルス一家の食卓に並ぶ料理、ローラとメアリイがかあさんに作ってもらった服の生地の色、お店で買ったキャンディに書かれている文字まで、隅から隅まで読みつくしました。

祖母がメアリイとローラの衣装やボンネットを従妹と私に作ってくれ（いま思えばコスプレですね）、得意満面、心身ともに、インガルス一家の一員になったような気持ちがしたものです。


そして、このシリーズの魅力のひとつは……なんといってもインガルス一家の食卓です。

最初に読んだときには、ブタのしっぽをあぶって食べるとか、雪のなかにとうみつをたらしてキャンディにするとか、そういうものにワクワクしましたが、何度も読むうちに食料がないときや状況が厳しいときに、母さんが工夫して作る料理やみんなでわけていただく食べ物の描写こそがいきいきとしていて魅力的だと感じるようになりました。

たとえば、サワー・ミルクをつくるのにじゅうぶんなミルクがないからと、サワー・ドウ（すっぱいねり粉）を使ってビスケットを作ったり、いためた豚肉の脂でジャガイモを焼いたり、グレイビイを作ったり……。

よくよく考えてみると、決して豊かな食卓ではないのでしょうけれど、足りない材料のなかから工夫して少しでもおいしいものを作ろうという気持ちが伝わってきて、何度読んでも飽きないし、毎度（歳を重ねるごとにかもしれません）その創意工夫に感心します。

なかでも私がとくに楽しみにしていたのはクリスマスの食卓の描写です。

たとえば、『大草原の小さな家』のクリスマスのとき、インガルス一家はインディアン・テリトリイに滞在していました。クリスマスの前の晩、こんなところまで、サンタクロースが来てくれるのか心配だし、ちっともクリスマスらしくないクリスマスにローラとメアリイはがっかりしていたのですが……とうさんの友だちのエドワードさんがクリークをわたってサンタクロースのプレゼントを持ってきてくれます。プレゼントのくだりもとっても素敵で胸が暖かくなるのですが、今回はそのときのインガルス家のクリスマスの食卓をご紹介します。

「クリスマスのディナーには、やわらかくて汁のたっぷりある、シチメンチョウのローストがでました。サツマイモは、灰のなかにうずめて焼き、きれいにふいて、おいしい皮ごと食べられるようにできていました。さいごの白いメリケン粉でつくった、塩あじの、よくふくらんだパンが一本あります。そして、そのほかに、まだ、干しブラック・ベリィの煮たのと小さなお菓子もあります。……」

このサツマイモもエドワードさんが、クリークを渡って持ってきてくれたものです。あるものを最大限につかったクリスマス・ディナー。なんて真心のこもった暖かな食卓なのでしょうか。どの年のクリスマスにもドラマがあります。そのときのインガルス一家の経済状況も垣間見えますし、やりくり上手なかあさんの料理の腕前も発揮され、毎年のクリスマスの食卓の描写はなかなか奥深いのです。

『農場の少年』は、インガルス一家の物語のシリーズに入っていますが、こちらはローラの未来の夫アルマンゾの少年時代のお話。このお話だけ独立しています。開拓者であるインガルス一家と違い、農場で暮らすアルマンゾの一家は圧倒的に裕福で、ただただおいしそうなお食事場面がたっぷりと描かれています。重ねホットケーキにあげたてのドーナツ、ローストポークにアップル・ソース……などなどお料理の部分だけを読んだだけでも、かなり幸せ度数があがります。

シリーズならではの楽しさのひとつに、巻をおうごとに成長するローラたちの姿を見守れるというのがあります。子どもが成長するにつれ、親子や姉妹の関係性が変わっていく様子は、家族アルバムを見ているような気分。

私はひとりっ子なのですが、すぐ近くに一歳上の従姉がいて姉妹のように育ったので、どうしてもローラとお姉さんのメアリイの関係に注目してしまいます。ローラのメアリイに対する憧れ、対抗心、羨望などの複雑な気持ちがとてもよくわかりました。金髪できれいなメアリイに劣等感を感じるローラがいじらしくて抱きしめたくなります。

また、はじめて読んだときに「わかる!!!」と一〇〇回くらいうなずきながら読んだエピソードがあります。

「そのとき、ローラは、自分のピンクのリボンがメアリイのおさげに結んであるのに気がついたのです。思わずそういいかけて、あわてて口を押えました。気づかれないように、横目で自分の背中をのぞいてみると、メアリイのブルーのリボンが、ちゃんとおさげについています。」「ローラはピンクにはあきあきしていて、メアリイはブルーにはあきあきしていたのです。でも、メアリイは金髪だからブルー、ローラは茶色の髪だからピンクでなければいけないということにきめられていたのでした。」

（『プラム・クリークの土手で』）

祖母が従姉と私に洋服を作ってくれるときは、同じアイテムを色違いか型違いで……というのが定番でした。浴衣なら柄違い、ワンピースなら型違い、パジャマなら色違い、といった具合です。そして、その振り分けにはなんとなくパターンが決まっていたので、毎回、従姉のものがうらやましかったのです。きっと祖母はそれぞれに似合ったものを、と決めていてくれたと思うのですが、やっぱり人のものはよく見えてしまう！　たまには逆にしてくれたらいいのになと密かに思っていました。私がいつも思っていたことを、ローラも思っていたのが嬉しくて、ますますローラにシンパシーを感じ、インガルス一家がより身近な存在になりました。

開拓時の苦労や、厳しい自然との対峙など、ひたすらに楽しいだけの生活ではありませんが、それでも読むと満ち足りた気持ちになれるのは、インガルス一家が一日一日を大切に生き、常に前向きだからだと思います。

インガルス一家の歩みとともに、どんなに大変なときでも、生活のなかに楽しみを見つけること、家族の暖かさ、諦めない気持ち……などを感じることができるので、家族で読んでポジティブな気持ちをシェアするのもよいですね。

このお話は開拓時代、実際に作者が経験したことを基に描かれているのでローラの目から見た先住民について描写されている部分もあります。

その描写が人種差別的だと指摘し、子どもが読むべきではないとする人もいるようですが、この物語に描かれている先住民に対しての反応や認識が、当時の多くの人たちのものだったことを知ることは、悪くないのではないでしょうか。当時の時代背景を知り、人種差別に対する認識を新たにするきっかけになればと思います。

『大きな森の小さな家』
ローラ・インガルス・ワイルダー 作
ガース・ウィリアムズ 画
恩地三保子 訳
福音館書店

小さな喜びを大切に暮らすことの豊かさ

ローラの物語

「インガルス一家の物語シリーズ」の続きがこの「ローラの物語シリーズ」です。少女から大人の女性へと成長するローラと家族を追うとともに、アメリカの開拓時代の人々の暮らしを知ることができます。どんなに大変なときでも、生活のなかに楽しみを見つけ、家族で協力し合う姿に心が暖かくなります。

このシリーズのなかで私がとくに好きなのは『長い冬』です。日本で最初に訳されたローラの物語は『長い冬』だったそうです。そのときの訳者の石田アヤさんが、長い冬を生きぬいたインガルス一家と、長い戦争を生きぬいた日本人を重ね合わせて素晴らしい翻訳をし、当時の日本人の心に響いたのだと谷口由美子さんの講演会でうかがったことがあります。いまは戦時中ではありませんが、コロ

ナ禍では多くの人たちが家のなかで過ごさなくてはいけなかったので、長い冬を耐え抜いたローラたちをより身近な存在と感じることができるのではないでしょうか。

ローラたちのように、些細な出来事を楽しみ、小さな喜びを大切に日々を過ごすことの豊かさにあらためて気づかされました。今回読み返してみて、いまこそ！　多くの人たちにこのお話を読んでほしいなと思いました。

はじめてインガルス一家の物語シリーズに出会った五歳のときから、インガルス一家が大好きになりすっかりこの物語に夢中でした。しばらくは福音館書店のシリーズを読み込んで楽しんでおり、その物語の続編にあたる岩波少年文庫のローラの物語のシリーズがあることを知ったのは少し後のことでした。当時の少年文庫はとても大人っぽく、文字も小さかったので保育園児にはなかなか手が伸びない存在でした。数年後に満を持してこのシリーズを読みはじめたのですが、結果的に私にとってはその読み方が正解だったと思います。

なぜならば……とくに『大草原の小さな町』以降、ローラの身に起こる出来事が就職・結婚……と展開が一気に大人の世界のものになっていくのです。いままで身近だったローラが一気に自分を置いて大人になっていってしまうので、私のように一家の一員になったつもりでいた幼い読み手にとっては、そのまま流れで読むよりも、ある程度こちら側も成長してからの方がお話を受け入れやすかったということもあります。

あらためて読むと驚くのですが、ローラは十五歳で先生になり十八歳では結婚しているのですよね。一気にお話が進んでしまったように思っていましたが、子どもが大人になるのが早かった時代、子ども時代が終わったとたんに大人にならざるを得なかったのだなと思うと複雑な気持ちになります。

そして意外とネックだったのはローラたちの言葉使いの違い。これは訳し方の違いなのですが、インガルス一家物語を何度となく読み返して「とうさん、かあさん」というよびかたが刷り込まれていたところからの「父ちゃん、母ちゃん」というよびかたはなかなかにショックでした。英語のニュアンス的にはそちらの方が正しいようなので、大人になってからはさほど気にならなくなりましたが、当初はめちゃくちゃ戸惑いながら読んでいたのを覚えています。でも、いま、出版されている岩波少年文庫版では「とうさん、かあさん」という訳になっており、福音館書店の大草原シリーズから続けて読んでも違和感がありません。

大人には一気読みを推奨したいですが、子どもが読む場合はそれぞれのタイミングで。きっと「いまだ！」というときがあるはずです。少しあいだがあいても、物語はずっとそこで待っててくれていますので焦らずに……（それが本のよいところでもありますね）。

とはいえ、私の子どもの頃とは違い、岩波少年文庫のこのシリーズも格段に子どもも手にとりやすい装幀になっています。表紙絵はガース・ウィリアムズのカラーのイラスト。福音館書店のシリーズと雰囲気も似ていて、ちゃんと同じシリーズという感じ。

インガルス物語シリーズの四巻目『シルバーレイクの岸辺で』と、この『長い冬』が私のなかではローラの少女時代の物語として分類をされています。子どもでもない大人でもないローラの視点で描いたこの二冊を続けて読んでみて、ようやくあちらのローラとこちらのローラが同じ人だということが自分のなかで納得できました。『長い冬』を読んでみて、無事に物語の世界に入ることができれば、きっとその後のお話も楽しめるはずです。

長い長〜い物語シリーズです。読む年齢によって引っかかるところも受け取るものも違ってきます。はじめて読んだときはぴんとこなくてなんとなく読んでいたエピソードやセリフ、時代背景の描写などが、後になってからしっくりきたり納得したりすることが私自身、何度もありました。同じ物語のなかで何度も新しい発見や出会いがあるのって素敵なことだと最近あらためて思います。

ローラの成長とともに、ものごとを見つめる視点が子どもの視点から大人の視点へと移っていくので、子どもの頃に読んだときは少し、背伸びして……大人になってからはいっしょに子ども時代、青春時代を振り返るような気持ちで……インガルス一家の物語シリーズから読み繋げていくと、家族の物語を読んでいるように思えてきて愛おしさが増します。

『長い冬』
ローラ・インガルス・ワイルダー 作
ガース・ウィリアムズ 絵
谷口由美子 訳
岩波書店（岩波少年文庫）

世界で二番目に強い女の子になりたくて

長くつ下のピッピ

六歳の頃の私のヒーローはピッピでした。ピッピはそれまで出会ったことのないタイプの主人公でした。自由で強くて優しいピッピ！

赤毛のおさげや左右違う色の靴下に自分の足の二倍もある大きさの靴をはく……という個性的なビジュアルも、とってもかっこよく思えて、私もさっそく左右違う色の靴下をはいてみたり、父の靴で後ろ向きにあるいたり、枕に足をのせて寝てみたり、ピッピのフルネーム「ピッピロッタ・タベルシナジナ・カーテンアケタ・ヤマノハッカ・エフライムノムスメ・ナガクツシタ」を嬉々として暗記して、鼻高々にまわりの大人に聞かせたり……まわりにこの本を読んでいる友だちがいなかったので、ピッピの話題で盛り上がることもできなかった分、「私だけのヒーロー」という意識が強く、ピッピをより親密に感じていたのかなと思います。

憧れたからといって、ピッピの真似をするのはとてもハードルが高い！　馬を持ち上げることもできないし、何度期待を込めて確かめても庭の木はレモネードの木にはなってくれません。でも、「ものはっけんか」になったつもりでなにかをさがしてみたり、床におりてはいけないという遊びをしてみたり、地道なピッピ修行は続きます。

すっかりピッピに夢中な私に、父が誕生日に自作の『アッピ、ほいくえんへ』という絵本を作ってくれたことは、いまでも大切な思い出です。……「世界でにばんめにつよいおんなのこ」になりたかったらしいです、私。

小さい頃は、単純にピッピが大好きでピッピのように自由な存在に憧れていましたが、ピッピを読み続けていると、ピッピの奥深い魅力がわかってきます。

まず、ピッピはとってもおおらかで優しい。そして、独立していて自分を大事にしています。

トミーやアンニカ（アニカ）にも気前よくプレゼントをあげるし、豪快なお買い物も自分のものだけを買うなんてことはしません。つかまえたどろぼうにだって、遊びにつき合ってくれたお礼としてちゃんと金貨をあげます。

大人の言われたルールにそのとおりに従うことはしませんが、ほかの子どもたちにもそれを強要したりはしません。自分の容姿も境遇も理解していて、からかわれたり気の毒がられてもへいっちゃら。誰になにを言われても自分がぶれないし、自分で考えて自分で行動できる、とっても「かっこいい」女の子なのです。

そんな楽しい、ピッピのお話ですが、三巻目の『ピッピ、南の島へ』の最終章を読み終えると、私はなんとも言えない、胸を締めつけられるような気持ちになります。

子どもの頃は、ただただ「大好きなお話がここで終わってしまう」という寂しさからくる気持ちなのかなと思っていましたが……いまでは、最後の場面のピッピの姿から、明るく太陽のような存在だったピッピのなかの陰の部分や孤独を強くを感じてしまうせいだからだと考えています。

楽しくておもしろいエネルギーに満ちたピッピのお話に、ほんの少しだけ紛れ込む孤独感が、物語をより味わい深くしているのかなと思うのですが……みなさんはどのように読みましたか?

私が小さい頃はピッピのお話といえば大塚勇三 訳/桜井誠 絵の岩波書店のハード

カバーでしたが（現在もまだあります。どうしても懐かしいからこれで読みたいという方はぜひそちらを）いまは、『決定版　長くつ下のピッピの本』（石井登志子 訳／イングリッド・ヴァン・ニイマン 絵／徳間書店）やリンドグレーン・コレクション（菱木晃子 訳／イングリッド・ヴァン・ニイマン 絵／岩波書店）など、こんなに選択肢があるということも嬉しいかぎり。

ここに紹介したのは私がとくにお勧めしたいものですが、ほかの出版社からもピッピのお話は出ていますので、ぜひ、自分の好みに合った本を選んで、ピッピと出会って（再会して）くださいね。

『長くつ下のピッピ』
アストリッド・リンドグレーン 作
桜井 誠 絵
大塚勇三 訳
岩波書店（岩波少年文庫）

子どもだって葛藤してる！

ヘンリーくんとラモーナ

『ゆかいなヘンリーくん』のシリーズはアメリカの子どもたちの生活がユーモアたっぷりに生き生きと描かれていて、とても楽しいシリーズ。

同じ作者の作品、登場人物もほとんど一緒で主人公が変わるので同じシリーズにまとめられていますが、私にとっては「ヘンリーくん」のシリーズと「ラモーナ」のシリーズは読んだ後の印象がだいぶ違い、おすすめポイントも微妙に違うので、今回は二つのシリーズとしてご紹介します。

まずは「ヘンリーくん」のシリーズ。こちらのシリーズはとにかく風通しのよさというのが私のおすすめポイント。じめっとしたところがなく、気持ちよく爽快に読めます。

日常に起こりうる出来事が、大騒動になってしまったかと思えば大冒険になったり……そんなつもりじゃなかったのにいつのまにか騒動の中心にいるヘンリーくん。決して強烈なキャラクターではありませんが、ついつい応援したくなる、幼なじみのような親しみがあり、私にとってはもはや親戚の男の子のような存在です。

ＴＶゲームもインターネットも普及していない頃のお話なので、現代の子どもたちの生活様式とはだいぶ違うのかもしれませんが、犬を拾う、グッピーを飼う、友だちと秘密の暗号を作る、といった生活のひとコマは、現代の子どもたちにも身近なものではないでしょうか。

一方で「ラモーナ」のシリーズは子どもの心の動きがユーモアたっぷりに描かれていますが、楽しいと同時に心当たりがありすぎて若干いたたまれない気持ちになることもあるくらい。「豆台風」のような子のラモーナですが、実際はとてもセンシティヴ。両親や先生にもほめてもらえるようなよい子でもいたいけど、思いついたことをやってみずにはいられない……という葛藤は子どもだけのものではありませんよね。だからこそ、子どもならではのストレートさでぶつかって、失敗して、落ち込んで、成長していくラモーナを自然と応援したくなります。

　また、ビーザスとラモーナという正反対な姉妹のそれぞれの内面の葛藤を見事に描いています。姉妹の方はとくに共感できるのでは？「うちの姉妹みたい！」「うちはこの逆のパターンなの」という申告する人が多い作品でもあります。私はひとりっ子ですが、私のなかにいるラモーナ的な部分とビーザス的な部分が、それぞれの言い分や葛藤に大いに共感。どちらの気持ちもひしひしと伝わってきます。

　子どもなりの理論、プライド、自分のことをわかってもらいたい気持ち、大人の些細な言動に傷つき、絶望したり……子どもの頃に感じていたもやっとしていた感情がつまびらかに語られていて、自分のことを言われているようで思わず本を閉じたくなることもしばしば。人から見られる自分の姿と本当はこうなりたいという自分の姿とのあいだで揺れ動く子どもの頃の気持ちを思い出します。

　それぞれの味わいは違いますが、登場人物も舞台も同じなので「ヘンリーくん」経由で「ラモーナ」を読んだり、その逆のルートで読んだり……シリーズを通して読む楽しさもあります。

ヘンリーくんの視点で見たビーザスとラモーナ、ビーザスの視点から見たヘンリーくんとラモーナ、ラモーナの視点から見たヘンリーくんとビーザス、どれもが少しずつ違っていてその違いを楽しむのもこのシリーズのおもしろいところです。

同じクリアリーの著書で『いたずらっこオーチス』と『ひとりっこエレンと親友』という作品があります。こちらはいずれも一冊読みきりでひとりっ子の男の子と女の子が主人公。どちらも読みやすく、楽しいお話で大好きでした。いまは品切れ重版未定になってしまっていて残念です。

『がんばれヘンリーくん』
ベバリイ・クリアリー 作
ルイス・ダーリング 絵
松岡享子 訳
学研プラス

『ゆうかんな女の子ラモーナ』
ベバリイ・クリアリー 作
アラン・ティーグリーン 絵
松岡享子 訳
学研プラス

時の行き交う不思議な場所

グリーン・ノウの物語

グリーン・ノウの物語はイギリスのマナー・ハウスという古い古いお屋敷を舞台にしたお話です。

私が最初に『グリーン・ノウの子どもたち』に出会ったときは正直、このお話のよさがよくわかりませんでした。ちょっと地味な表紙と中の真っ黒なイラストもなんだか怖かったのと、ひっそりとしたお屋敷の雰囲気や土地の呪いなどがなんとなく不気味だったのと……あまりに密やかなクローズした雰囲気にやや怖気づいてしまい、夢中になることができませんでした。全体に流れるあまりに大きな時間の交錯についていくことができなかったのです。一冊目を読んでから、次のお話を読む気になれず、しばらくこのお話のことは忘れていました。

二回目にこのお話を読んでみようと思ったのは、その後少したってから。『トムは真夜中の庭で』や『時の旅人』といったいわゆるタイム・ファンタジーの作品を読んでからです。二作品ともに古いお屋敷が舞台になったイギリスの児童文学らしい名作で、すっかり夢中になって読み、その際に「そういえばマナー・ハウスが出てくるお話がほかにもあったなぁ」と思い出して、もう一度『グリーン・ノウの子どもたち』を読んでみることにしたのです。

……すると、今度はこのお屋敷に起こる不思議なことを受け入れることができるようになり、そこに住む人たち（オールド・ノウ夫人やトーリーやずっと前から住んでいた子どもたち）に親しみを感じられるようになっていました。お屋敷の細部の描写を読んで想像してワクワクしたり、トーリーと一緒にトービーやリネットたちがいつ姿を見せてくれるのかどきどきしたりしました。

はじめて読んだときのあの怖さはどこにいったのかしら⁇　と思うほど、グリーン・ノウの世界が心地よく感じられ、今度こそ「楽しんでいいよ」とお話に受け入れてもらえて……ようやく、この物語への通行手形を手にしたように感じました。最初の出会いでつまづいた経験が、かえってこのお話を楽しめる喜びに繋がったみたいです。

また、私自身がとてもおばあちゃんっ子だったので、おばあさん（おじいさん）が魅力的に描かれている作品とはそれだけで一気に親密になれることが多いのです。その点でいうと、この作品のオールド・ノウ夫人は素晴らしい！

子どもにとって、ときにほかの誰よりも近いところにいる大人。その一方で長く生きている分、圧倒的に不可解な部分がある大人でもある老人＝オールド・ノウ夫人。彼女は屋敷の過去と現在を繋ぎ、子どもたちと屋敷を繋いでいる大きな存在で……のちのち、このシリーズの作者であるルーシー・ボストンはオールド・ノウ夫人にそっくりだった……という記述を読んで「なるほど！」と深く納得しました。

ところが、ようやくグリーン・ノウを楽しむ権利を得たと思いきや、このシリーズの制覇はなかなか手ごわかったです。

『グリーン・ノウの子どもたち』から二作目の『グリーン・ノウの煙突』はさらに登場人物も増え、お宝探し的なワクワクもあり、一作目を楽しめたならすんなり入れるお話でした（少なくとも私はそうでした）。

三作目は『グリーン・ノウの川』。こちらは突然、登場人物ががらりと変わり、オールド・ノウ夫人さえ出てこないので、はじめて読んだときは軽くパニック。……

もしかして、オールド・ノウ夫人、死んじゃったの……⁉　とこわごわ読みました。実際はそんなことはなかったのですが、とくに説明がないので戸惑います。次作『グリーン・ノウのお客さま』にも出てくる少年ピンはこのお話からの登場なので、いったんシリーズを読み終えてから再度読むと、この順番に納得ができます。

続く『グリーン・ノウのお客さま』にも最初はてこずりました。なぜなら冒頭からしばらく、ゴリラの一家のお話が続くのです。突然、登場人物が変わってしまった『グリーン・ノウの川』に続き、今度はゴリラ⁉　ここで二度目の挫折をしそうになりましたが、我慢して読み続けていると前作に出てきたピンが登場して……そこから物語は一気にドラマチックになっていきます。お話が進むにつれ胸がつまりそうで悲しくて。シリーズのなかでもとくに印象的な一冊ですが、悲しくなるのであまり頻繁には読み返せません。

『グリーン・ノウの魔女』はようやくグリーン・ノウにトーリー、ピン、オールド・ノウ夫人が揃い、三人と突如として現れた侵入者との対峙が描かれます。

『グリーン・ノウの石』は最終巻というより番外編でエピソード0のような位置づけの一冊。この最終巻までを読んで、もう一度一巻目から読み返すとようやくこの物語の全貌がつかめます。

全巻読むと、最初こそ違和感のあったシリーズのならびにも納得しました。
このお話にかぎらず最初の出会いがいまひとつでも時期を変えてチャレンジしてみたら、嬉しい再会に転じることもあります（私が身をもって実証済です）。ですので、もしちょっと読んでみたけどしっくりこなかったという方は諦めないで時期を変えてまた読んでみてください。いったんうまくチャンネルが合えば読めば読むほど味わい深いシリーズなので……。いまは新版になり、より手に取りやすくなっています。

シリーズを通して読むと、そこに暮らす何世代もの人々を見続け受け止めてきたグリーン・ノウが物語の中心に確かに存在していて、どんな時代のどんな出来事も受け止めていることを強く感じます。グリーン・ノウという時の行き交う不思議な場所そのものが、この物語の主人公なのだなと思いました。

『グリーン・ノウの子どもたち』
ルーシー・M・ボストン 作
ピーター・ボストン 絵
亀井俊介 訳
評論社

決して派手な物語ではありませんが、読み終えると気持ちが豊かになります。

物語の世界を旅したこと　イギリス篇

過去に二回、イギリスに家族旅行をしたことがあります。わが家の場合、家族三人の共通の話題のなかにはいつでも本があり、とくに絵本や児童文学については、ごくごく自然に日常生活のなかにあるべきものとして存在しています。なので、ファンタジーの宝庫・イギリスに、家族旅行の行き先が決まったのは自然な流れでした。そして旅行の計画をたてているときに、母が驚くべき行動力を発揮して、私たちは『トムは真夜中の庭で』と『グリーン・ノウ物語』の舞台に訪問できることになりました。

どちらの物語も読んだことはありましたし、実際にモデルとなった場所があるということは知っていましたが、自分が実際に行くなんて想像もしていなかったことだったので、嬉しいというよりも緊張の方が勝っていました。本のなかではとても不思議な魅力に満ちている場所が、実際は拍子抜けするような場所だったらどうしようとか、なにも感じとれなかったらそんな自分にがっかりしてしまいそうとか、そういった不安もありました。物語を読んでいろいろと想像して憧れていた場所に行ってみて、自分がどんな気持ちになるのか想像がつきませんでした。

いざ、その場所に行ってみると……なにを心配していたのかしら？　というほど、圧倒的な雰囲気にすっかりのまれました。そこかしこに物語が息づいていて、その場所ごと、物語の一部なのだと思わずにはいられませんでした。庭や建物そのものに不思議な力が備わっているのか、こちらが緊張と興奮のあまり意識がふわふわしていたのか、はたまたその両方か……何度思い出しても、半分夢のなかにいたような、現実と物語の世界の境目にいたような体験でした。

『グリーン・ノウ物語』の舞台・ヘミングフォードグレイから『トムは真夜中の庭で』の舞台・グレート・シェルフォードに行った数日間は、完全に私のキャパシティを超えてしまったようで、詳細な記憶が抜け落ちてしまっています。

『トムは真夜中の庭で』の作者のピアスさんには実際にお会いすることができ、物語の舞台になった庭やトムやハティがのぼった塀を、ピアスさんご本人に案内していただきました。物語の舞台……しかも物語のなかでさえ夢のなかなのか実在しているのか不思議だったあの庭に自分がいることだけでも信じられないのに、その物語を紡ぎだした人が隣にいるということがうまく呑み込めず、かなりの興奮状態でした。一緒に行った母は「あなたは、感動して泣いてたわよ」と言うのですが、そのことさえよく覚えていません。とにかく、ノートに書いて何度も練習した片言の英語で「あなたの本が大好きです」と伝えるのが精一杯だったことだけは、記憶にあります。そのとき撮った写真とピアスさんに書いていただいたサイン（もちろん『トムは真夜中の庭で』にしてもらいました）を見て、ようやく現実だったのかな……と思えるくらいです。いまでも、ときどき本を読んでいると、脳内に浮かび上がる光景が、自分の記憶なのか本で読んで想像したものなのかわからなくなっています。

でも、この旅行以降、物語を読んでいるとどこからともなく、あの場所の空気感というか湿度のようなものを感じるときがあります。そんなときには物語の世界をより濃密に感じられ、ぞくりとすることがあります。

物語を楽しむのに、その舞台に行くことが必ずしも必要だとは私は思いません。お話を楽しむのに、その場所が実在しているかどうかは、あまり関係ないことが多いからです。でも、この場所がどこかに存在しているということを頭の片隅に置いて物語を読んでみると、それまでよりも実在感を感じることができ、物語全体との距離感も少し縮まるような気がします。

ファンタジーとわかっていても、舞台のある場所をたどって、登場人物や歴史的背景に私たちが思いを馳せることができるのは、その物語が読んだ人の心のなかにはっきりと存在しているからではないでしょうか。書き手・読み手それぞれがその世界を信じているからこそ、その場所が特別な場所になりうるのかなと思います。物語を読んでいない人にとってはどうってことない風景が、読んでいる人にとっては特別なものになります。実際に自分が行くことはできなくても、世のなかに自分にとって特別な場所がたくさんあるのは素敵なことだなぁと感じています。

物語の魔法にかかるには

ヒナギク野のマーティン・ピピン

『ヒナギク野のマーティン・ピピン』に入っているお話のひとつ「エルシー・ピドック夢で縄とびをする」には忘れられない思い出があります。

保育園に通っていた頃は、園に行く前と寝る前に、本を読み聞かせてもらうのが毎日の習慣でした。字が読めるようになり、少しずつ自分でも本を読みはじめていた時期でしたが、両親に読み聞かせ……とくに長いお話を読み聞かせてもらう楽しさは、自分で本を読むのとは別のワクワク感がありましたし、そのあいだは、父または母を独占できたので、私にとっては大切な時間でした。ある晩、母が「今日は長いお話を読んであげる。とてもおもしろい縄とびのお話だよ」と寝る前に厚い本を見せてくれました。ようやく縄とびができるようになったところだったので、どんなお話を聴けるのか、いそいそと布団に入って母の読み聞かせがはじまるのを待っていたことをいまでも思い出せます。

　このお話にはエルシー・ピドックという縄とびの好きな女の子が出てきます。縄とびの腕前をフェアリーに見込まれたエルシーはフェアリーのとび方を学び、キャンディの柄のついた不思議な縄とびをもらいます。その縄とびが短くなるまでのあいだ、エルシーにはフェアリーのとび方が許されたのです。やがて、エルシーも歳を取り、縄とびはできなくなりますが、キャンディの柄のついた不思議な縄とびはずっとエルシーの手元にありました。時がたち、エルシーがすっかりおばあさんになった頃、事件は起こります。村人たちとフェアリーにとって大切なケーバン山を領主が工場にするために封鎖するというのです。それを引き延ばせるのは、村人全員が順番に縄とびをとんでいられる時間まで。最後のひとりがとび終わったら、ケーバン山に工場にするための煉瓦を敷きはじめるというのです。……そこで、大縄とび大会がはじまります。赤ん坊から女の子、かつて女の子だったおばあさんたち、みんながケーバン山を守るために縄とびをします。そして、最後のひとりになったときエルシー・ピドックがフェアリーからもらった縄とびを手に現れます……。

　私は最初の方に出てきた「アンディ、スパンディ、さとうのキャンディ、アマンド入りあめんぼう！　おまえのおっかさんのつくってる晩ごはんはパンとバターのそれっきり！」という縄とび歌がでてきたところから、このお話に夢中になりました。息をつめてひと言も聴き洩らさないように、母の声を聴いていた……はずなのですが、いつのまにか、気がついたら私は自分も縄とびを握りしめてケーバン山にいました。あのときの感覚をなんと言ったらいいのでしょうか。確かに、私の目の前でエルシー・ピドックが縄とびをしていたのです。あれほどはっきりとお話との一体感を感じたのは、後にも先にもこのときだけだったので、この日のことは私にとって忘れられない特別な経験です。隣で本を読んでくれていた母は、体を震わせてうなったかと思ったら笑いだしたり……トリップしたような私の様子に呆気にとられ、私がどうにかなってしまったかと思ったようです。物語の魔法を体験できたことが、いまも宝物のような思い出です。

そして、こんな素敵なお話が入っている、あの本を早く丸ごと自分で読めるようになりたい！　と思い、そのときから『ヒナギク野のマーティン・ピピン』は憧れの一冊になりました。

その後、長いお話が読めるようになり、満を持して『ヒナギク野のマーティン・ピピン』に挑んだのは小学校中学年の頃だったと思います。意気込んで読みはじめたものの、最初から出鼻を挫かれました……それは、最初の設定がどうにも理解できなかったからです。

『ヒナギク野のマーティン・ピピン』は旅の詩人・マーティンがヒナギク野にいる女の子たちにひとつずつお話を語るという形式の物語。マーティンと寝に行きたくない六人の女の子の攻防戦と、マーティンがそれぞれの女の子に語って聞かせるお話が交互に出てきて、劇中劇があるお芝居を見ているようないっぷう変わった短編集です。このように、ひとつの物語を軸に、そのなかにいくつもの短編を散りばめていくという物語の進め方は、作者のファージョンがよく使う手法です。

私は、『ヒナギク野のマーティン・ピピン』を読む前に『年とったばあやのお話かご』や『イタリアののぞきめがね』など、ファージョンの短編集を愛読していて、前準備もぬかりなかったはずなのですが……「誰が自分の子どもかわからないから、ひとりずつ女の子の親を当てる」という、この話の大枠の設定が、どうにものみ込みにくかったのです。〝自分の子どもがわからないってどういうこと？〟と思いはじめたら、まったくお話に入れなくなってしまったので、短編を読むのは諦めて、まずマーティンと女の子たちが出てくるところだけを読んでしまうことを思いつきました（この本の章立てでいうと前奏曲・間奏曲・後奏曲の部分です）。……ようやく自分のなかでなんとなく納得してから、最初に戻って一冊を通して読みはじめたので、やっとたどり着いた短編を読みはじめるときはとてもワクワクしました。私と同じようなところでつまづいてしまったら、この読み方はおすすめです。もしくは、この逆ルートで、短編から読みはじめてもいいかもしれません。

短編、つまりマーティンが語るお話は、どこか不思議な味わいのものばかり。フェアリーや人魚が出てくるものもあるし、少し悲しいお話も荒唐無稽なお話もあります……。どれも少しクラシカルな雰囲気のものが多いので、はじめはとっつきにくいと感じるかもしれません。

でも、言葉のリズムがとてもよく（なまりやちょっと乱暴な口調の言葉が多いのも特徴かなと思います）、テンポのよい文章なので、読み続けていると不思議となじんでくるはずです。自分自身に読んであげるつもりで、少し声に出して読んでみるのもいいかもしれません。どれかひとつでもお気に入りのお話が見つかれば、ファージョンの不思議な世界観の魅力に気がつくと思います。

ちなみに、『年とったばあやのお話かご』では、おばあさんが繕い物をするあいだ、繕い物の大きさにあったお話を子どもたちにひとつずつ話して聞かせてくれます。読みなれないと少し戸惑うかもしれませんが、ひとつの本でいくつものお話が読めるのは、ちょっと得をしたみたいな気分になりますし、自分で読んでいるのに、誰かにお話をしてもらっているような心地よさがあり、ふつうの短編集を読むのとはまた違う楽しさがあります。『ヒナギク野のマーティン・ピピン』よりも『年とったばあやのお話かご』の方が、易しく読める長さのお話が入っているので、こちらを先に読んで、ファージョンの短編集の楽しさを体験しておくというのはおすすめの読み方です。

「エルシー・ピドック夢で縄とびをする」をようやく自分で読むことができたとき、とっても感動しました。はじめて読み聞かせてもらったときのような身体全体が震えるような体験はもうできませんでしたが、そのときの記憶がよみがえりゾクっとしました。これからはいつでも好きなときにこのお話を読めるというのも嬉しかったですし、その後も、何度も読み返しています。ほかの短編も好きですが、やっぱり、このお話はいつまでも、私のなかでは特別な存在です。

私にとって、このお話が特別になったのは出会ったタイミング、シチュエーション、またあの年齢のときに耳から聴いたことが大きかったかもしれません。そう考えると、あらためてこの本に出会わせてくれた母にも感謝です。

どんなタイミングで、どの本が自分にとって特別な存在になるかは誰にも決められません。ふと手にとった本がそうかもしれないし、急に読み返したくなって読んだ本が、特別な一冊になることだってあると思います。

もう二度と同じような体験はできないかもしれませんが、また、いつ物語の魔法にかかってもいいように……素敵な本に出会う準備はしておきたいなと思います。

『ヒナギク野のマーティン・ピピン』
（ファージョン作品集５）
エリナー・ファージョン 作
イズベル＆ジョン・モートン＝セイル 絵
石井桃子 訳
岩波書店

子どもの頃に出会いたかったビッケ

『小さなバイキング ビッケ』に出会ったのは、私がすっかり大人になってからでした。この本が出版されたのは私が生まれる前で、その後長いあいだ、絶版になっていたせいもあり、我が家の本棚でもお店でも見かけたことがなかったので、このお話の存在自体を知ったのもだいぶ大人になってからです。

最初に『小さなバイキング ビッケ』を見たときには、まずはその装幀に心を奪われました。色使い、絶妙なタッチのイラストが私の好みにぴったりはまったので、無条件に「この本を読みたい！　読まなくちゃ！」と思いました。その情熱のままお話を読みましたが、なんて健やかなのびのびとした冒険物語だろうと嬉しくなりました。

主人公のビッケはやさしくて、ゆうかんなバイキングの男の子。小さなビッケがあらくれものに大人のバイキングたちや敵に、力ではなく知恵で対抗するところが痛快！　しかも、その知恵を使った作戦は、とんちがきいているので、感心するのと同時に思わずくすりと笑ってしまいます。

おとうさんであり族長のハルバルを筆頭に、大人のバイキングたちは、血の気が多くなんでもなぐりあいや力で解決をしようとします。一方、ビッケは暴力が大嫌いで機転や知恵で物事を解決しようとします。最初は力に任せてビッケに命令していた大人たちが、お話が進むごと、巻が進むごとに徐々にビッケに頼っていく様子は愉快で、どこか微笑ましくもあります。

いまでも、十分にこの物語を楽しんではいるもののの、やっぱり少しだけ残念な気持ちもしてしまいます。いまさらなのですが、この物語に子どもの頃に出会えていたら、きっともっと夢中になってビッケと一緒に冒険を楽しめたのになぁと思ってしまうからです。もう少し早く出会えていたら、いまとは違うスタンスでこのお話を楽しめたような気がするのです。どうしても、いまはビッケの奮闘を見守る目線でお話を読んでしまいがち。でも子どもの頃だったら、大人たちに立ち向かうワクワク感を味わったり、こわいことを克服するために知恵を働かせることのかっこよさに気がついたりすることができたのではないかなぁと考えてしまいます。これからこのお話に出会える子どもたちがうらやましい！

それに、子どもの頃にビッケに出会っていたら現在のところ『点子ちゃんとアントン』のアントン一択の私の「理想の男子」枠にビッケが入っていたかもしれないと思うと惜しい!!　いまでは賢くて健気でちょっと生意気なビッケを見て「かわいいなぁ。えらいねぇ」と子どもの頑張りを見守る親戚のおばさんのように、ただただ愛でております。「ビッケと友だちになりたい！」というよりは「こんないい息子がいてイルバさん（ビッケのお母さん）うらやましいわ～」という感じになっているのは、絶対的に出会った年齢のせいだと思うのです。それはそれで、楽しくもありますが……やっぱり、これからビッケに出会える子どもたちがうらやましい！　と思うわけです。

本に出会うタイミングは人それぞれ。大人になって出会ったからダメというわけではもちろんありませんが、その本と本当に親密になれる時期ってあると思います。大人になって読んだ方がより深く理解できる場合もありますが、やはり子どもの頃に出会っているお話とは親密になれるスピードが違うような気がしています。

以前は二つの出版社から分かれて発売されていたビッケの物語ですが、いまではひとつのシリーズとして揃えることができます。最初に衝撃を受けた学研から出ていた本とは装幀が変わりましたが、この新しいシリーズも素敵ですっかり私のお気に入りです。シリーズで表紙を並べて置いてみても背表紙を並べてみても隙なくかわいく、表紙の色と見返しの色の合わせ方もおしゃれ。それぞれの巻ごと違うので確かめてみるのも楽しいです。そして、カバーを外したときに出てくるイラストも気がきいてるので、持っているけどまだ見たことのないという方はカバーを外してみてください（これは図書館の本ではできないお楽しみ。くれぐれも店頭ではやらず、自分の本でやりましょう）。

『小さなバイキング ビッケ』
ルーネル・ヨンソン 作
エーヴェット・カールソン 絵
石渡利康 訳
評論社

居場所を探している子たちへ

思い出のマーニー

『思い出のマーニー』は私にとって戦友のような一冊です。この本の主人公のアンナは、これまでの人生のなかで、最も苦しいときにともに苦しんだ仲間。

でも、だからこそ、この本は長いあいだ、あまり人にすすめたくない……もっと言えば読んでいることも誰にも話したくない本でした。それは、この物語が、私に心の奥のやわらかい部分に触れてくるような踏み込んだ内容だったからです。この本を読んでいることで、自分の心の奥底を見られてしまうような気さえしていました。

はじめて読んだのは小学生の頃でしたが、『思い出のマーニー』の存在が、私のなかで大きくなったのは中学生の頃です。中学生時代は私にとっては暗黒期で、心身ともに生きづらさを感じているときでした。新しい本にチャレンジする気力もなく、読

んだことのある本ばかりを読み返していました。あまり明るいお話を読みたくなくて、「たしか静かなお話だったなぁ」というぼんやりとした記憶で、この本を手に取り——数ページ読んで、あまりの動揺にいったん本を閉じました。私の心の奥の奥の奥の方……自分でも持て余していて、うまく言葉にできないもやもやした気持ちが、アンナの心情としてはっきり文字として語られていることにドキドキしてしまい、気を落ち着かせないと、とても続きを読めないと思ったのです。

アンナにとって大切なことは〝ふつう〟でいること。ほかの人たちはみんな、なにか目に見えない魔法の〝内側にいる人〟なので、ほかの人にとって、とても大切な素晴らしいことは、その輪の〝外側〟にいるアンナには関係のないことです。

……ほかのみんなは〝内側〟にいるのに、自分だけが〝外側〟にいるという感覚は私が中学校でいつも感じていることと同じでした。同じ制服を着て、部活をして、自分の意見は言わず、はみださないようにまわりに合わせて……そんなことがふつうにできる〝内側〟の人になれるように頑張ったけれど、うまくできずに体調を崩してしまいました。中学校の頃は、いったん規定レールから外れてしまうと、そこから〝内側〟に戻るのはとても大変です。心身ともに弱っていた私は、〝内側〟のことは自分には関係ないことだと思うことにしました。そして、そのことを自分が気にしていると思われたくなくて精一杯〝ふつう〟の顔をするようにしていました。

そんな自分の状況がアンナに重なって思えて、この物語が一気に他人事だとは思えなくなりました（いまになって考えてみると、小学生のときに読んだものが自然と自分のなかに蓄積されていて、自分ではそれと気がつかないで影響されていた可能性も否めませんが……）。

アンナの独り善がりな強がりや期待することをやめてしまう姿勢が、読めば読むほど自分のことのようで、いたたまれなくヒリヒリして……読んでいて苦しかったです。でも、ずっともやもやとしていた心の動きを物語として読むことで、息苦しさが少し和らぐような気もしていました。

海辺の村の自然のなかでペグさんたちと過ごし、マーニーに出会い、自分の問題に向き合いながら、アンナのかたくなな心が、少しずつやわらかくなっていく過程を読んでいくことは、私にとって救いであり希望でもありました。この本を読んだからといって、現実が変わるわけでも意識が変えられるわけでもなかったのですが、自分を受け入れることの助けになったことは確かです。アンナの心が解放されていく様子を何度も何度も読んで、いつかは自分もいまの状況から抜け出せるのかな……とかすかな希望を見出していました。

私がこの本のことを人と共有する気持ちになったのは、中学生時代を乗り越えて、思春期が遠くなってからのことです。ようやく、自分のことと切り離して、適度な距離感をもってこのお話を読めるようになりました。

あらためて、この物語を読むとタイム・ファンタジーや謎解きの要素もあり、もっと軽やかに楽しむこともできます。とくに後半、徐々にマーニーの素性が明らかにされていくところはドキドキ楽しめます。

アンナを取り囲む大人たち……とくにアンナの養母のミセス・プレストンの真面目すぎるが故の不器用な優しさや、アンナを大きな優しさで包んでくれるペグさんたちも素敵。

最初はお互いにぎこちなかったミセス・プレストンとアンナの心の距離が近づくところはグッときます。後半に登場するリンゼー家の人々は、謎解きの際にも重要なカギを握っていますし、アンナの心の殻を破るのに重要な役割を果たします。

中学生の頃は、ひたすらにアンナの心情を追っていたので、この物語がこんなに多彩な面を持っていることに気がつけませんでした。いまでは、アンナの孤独や葛藤にも寄り添いながらも、物語全体を楽しむことができるようになりました。

もう、私があの頃のように、緊迫感をもって、この本を読むことはないでしょう。

もう二度と戻りたくないつらい時期ではありましたが、あんなにも物語の近くに自分の心があるという経験は、めったにないことなので、そう考えると、もうその感覚を味わえないのは少しだけ寂しい……かな。

私が出会って救われたように、誰かの心に寄り添って、救い上げてくれる力を秘めた本だと思うので、同じように自分の居場所を探している子たちに読んでほしいなと思います。

『思い出のマーニー』（上下）
ジョーン・ロビンソン 作
ペギー・フォートナム 絵
松野正子 訳
岩波書店（岩波少年文庫）

以前とは違う自分になる
クローディアの秘密

『クローディアの秘密』を読んで、家出のイメージが変わりました。この本は、それまでの私が知っていたどんな家出とも違う独創的で素敵な家出をしたクローディアという女の子と、弟のジェイミーの物語です。

読みはじめて、まず興味をひかれたのはクローディアの賢さ。都会に住む子どもが家出する先は、不慣れな野外よりも屋内の快適な場所のほうがいいに決まっています。そのなかでも……優美で忙しい都会のなかのメトロポリタン美術館に家出をすることを計画したクローディアの着眼点にまず感心しました。

家出のパートナー選びも論理的。仲がよいからとか、気が合うからという理由だけではなく、自分よりも経済観念がしっかりしていてお金をためこんでいるジェイミーを選び、さらに渋るジェイミーに「僕が選ばれた」と思いこませます。

とくに家出当日の計画はお見事！　荷物の隠し方、スクールバスで運転手にもほかの生徒にも気がつかれずに目的地に到着する方法、そして美術館の警備をかいくぐる方法など……無事に美術館のなかに就寝場所を見つけるまでのくだりは、テンポもよく、最高にワクワクします。

いまの時代、クローディアとジェイミーのような方法で美術館に寝泊まりするのは到底無理なことのように思えますが、私が子どもの頃には、十分成功しそうな計画に思え、ゾクゾクしました。家出願望があったというわけではないのですが、「なにかのときに備えて」一時期は美術館や図書館に行ったときは必ずトイレに行って、隠れることができそうかどうかを確認していたものです。

物語前半は美術館のなかという非日常空間と、二人の直面する超現実的な日常（歯磨きや洗濯物をどうするかなど）の問題とのギャップがとてもおもしろくグイグイ引き込まれます。ある天使の像に関する発見から、二人がそのことを調べていく様子はとてもスリリングで、冒険推理物語としても十分に楽しめます。

でも、私がどうしたって心惹かれてしまうのは「つまさきだちで大人の世界に入ろうとしている」年代の子どもの複雑な心理がとても丁寧に描かれている部分です。

まず、長女（一番上の子で女の子だからという理由で押しつけられるさまざまな役割）であることに苛立ち、「ただオール5のクローディア・キンケイドでいることがいやになった」というクローディアの不公平さと退屈さへの不満。なんとなく大人に求められている自分を演じてしまったり、物わかりのよい子どもでいることにあきあきするという気持ちは、十代の頃、常に心のどこかに抱えていたものだったので、クローディアの家出という行動による抗議、意思表示は、応援したくなる行動でした。

しかし、最初は現状への抗議のつもりだった家出でしたが、美術館での生活のなかでクローディアの心の奥底に新たな願望が芽生えます。それは物語後半、彼女自身の口で明かされるように「家出前とはちがった人になって帰りたい」ということです。大人への不満や抗議よりも、いつのまにか以前とは違う自分になる＝秘密を胸に持って帰るということがクローディアにとっては重要なことになるのです。

「秘密を胸に持って帰る」ということがどういうことを意味するのか、なぜそれがクローディアにとって、そんなに大事なのかが理解できずに、一瞬戸惑ったのですが、読み進めていくと秘密について、こんな言葉が出てきます。

「クローディアに必要な冒険は、秘密よ。秘密は安全だし、人をちがったものにするには大いに役だつのですよ。人の内側で力をもつわけね。」

これはクローディアの理解者であり、秘密を共有することになるフランクワイラー夫人の言葉です。彼女は、このお話のカギを握る人物で冒頭から登場します（冒頭、夫人の手紙からはじまった物語がぐるりと輪を描いて再びこの手紙に着地するようになっているのはお見事！　この構造に気がついたときは大興奮のままもう一度、最初から読み返しました）。

この言葉を読んで、私はクローディアにとっての秘密……天使像についての事実を自分たちだけが知るということは、私にとっての本を読むということと同じようなものではないかとひらめきました。クローディアがメトロポリタン美術館に家出したように、本を読んでいるあいだ、私は物語のなかに家出をしているのだなと。本を読んで感じたことは私だけの冒険ですし、その冒険は私の内側で力になり、本を読む前とは違った私にしてくれます。……そう考えたら、クローディアが秘密を持つことにこだわっている理由が、私にも自分事としてすとんと納得ができました。

環境をすべて変えることはできなくても、自分のなかに特別なものを持つことができるだけで、心境は変えることができるのだなと、とても勇気づけられました。

『クローディアの秘密』
Ｅ．Ｌ．カニグズバーグ
作／絵
松永ふみ子 訳
岩波書店（岩波少年文庫）

二人のおばあさん

リンゴの木の上のおばあさん

ずっと祖父母と一緒に暮らしていたせいか、おじいちゃんやおばあちゃんが出てくるお話は小さい頃から好きでした。両親とは違った距離感で見守ってくれる大人の存在というのを、私自身がとても心地よく感じていたからです。お年寄りと子どもの組み合わせが出てくる児童文学は多いのですが、その関係性が丁寧に描いてあるお話はそれだけで、好感度があがります。

そんな、お年寄りと子どもの出てくるお話のなかでも『リンゴの木の上のおばあさん』は、とても読みやすく楽しいお話です。

このお話には、二人のおばあさんが登場します。お話の前半に出てくるのはアンディが想像した、リンゴの木の上から現れたおばあさん、後半に出てくるのはお隣に引っ越してきたおばあさんです。

めちゃくちゃファンキーで楽しいおばあさんと、地に足の着いたおだやかなおばあさん。それぞれのおばあさんとアンディとのやりとりも楽しいのですが、理想と現実の折り合いのつけ方もとても自然に描かれているのが素敵です。

……だが、しかし。実は、私はこのお話をかなり長いあいだ、前半部分だけを繰り返し読んでいました。一冊まるっと読めるようになったのは、この本に出会ってずいぶん後になってからです。

なぜ、前半ばかりを繰り返し読み、後半はほとんど読んでいなかったのかというと……それは前半に出てくるアンディの想像上のリンゴの木の上のおばあさんが好きすぎたからです。このおばあさん、とにかくかっこいい！　お茶目で気前がよくって、「行儀よくしなさい」なんてつまらないことは決して言いません。

それに冒険好きで、おばあさんと一緒なら遊園地だってドライブだって航海にだって出かけられます。

私がとくに忘れられないのは、アンディとおばあさんが遊園地でソーセージとわたがしを交互に食べる場面です。屋台のソーセージとわたがしという、おかあさんだったら絶対に眉をひそめそうなジャンクフードの組み合わせ。これを、アンディとおばあさんが、交互にお腹がいっぱいになるまで食べるところは何度読んでもうらやましいのとワクワクするのとでにんまりしてしまいます。

一見、リンゴの木の上のおばあさんとアンディとの冒険はスケールが大きすぎて、現実的ではないように思えます。確かに海賊船に乗ったり、虎を捕まえにいったりすることは、なかなかの大冒険です。でも、二人のような大冒険でなくても、おかあさんとではなく、おばあさんとやるからこそ楽しいことってあると思うのです。さらに二人だけのささやかな秘密を共有することで、楽しさは何倍にもなります。アンディがおばあさんと楽しそうに過ごしていると、私も祖母との時間を重ね合わせて、とても幸せな気持ちになります。

アンディとおばあさん、二人の時間が、とても楽しいので、次第に「リンゴの木の上のおばあさんが、現実のおばあさんになって出てきてくれないかなぁ」という、物語の魔法を期待する気持ちが芽生えてきます……が、そこに突如として、リンゴの木の上のおばあさんとはまったく違うタイプの隣に引っ越してきたおばあさんが登場するのです。

そこで事件は起こります。アンディが隣のおばあさんに向かって、自分にはリンゴの木の上にいるおばあさんがいること、そのおばあさんは「じぶんでかんがえだしたおばあちゃん」だと説明するのです。

私は、この場面を読んでとてもショックを受けました。アンディが自分から認めてしまったことで、これまでワクワクして読んだリンゴの木の上のおばあさんとの冒険がすべて絵空事だったと突きつけられた気がして、とても悲しかったのです。ほかの誰に信じてもらえなくても、アンディにそれを否定されてしまったら、私はどうやってこのお話を読んだらいいの⁇　と、とても混乱しました。

このときのショックがあまりに大きくて、そこから先のお話を読むのが嫌になってしまいました。私にはこっちのおばあさんがいてくれればいいもん！　と、半ば意固地になって、本当に何年かは後半部分は読まないでいました。

数年後、なぜか突然、「今日は一冊通して読んでみようかな」という気持ちになりました。

あらためて読んでみると、お隣に引っ越してきたおばあさんのよさが私にもようやくわかるようになっていました。

「ときどき、もうひとりのおばあさんの話をしてもらえれば、わたしだってうれしいんだよ」という隣のおばあさんの言葉のおかげで、アンディはいままで誰にも話そうとしなかったリンゴの木の上のおばあさんとの冒険の話をすべて、隣のおばあさんに話すことができます。

アンディが否定しかけたリンゴの木の上のおばあさんの存在を、隣のおばあさんがアンディごと受け止めてくれたおかげで、アンディは二人のおばあさんを持つことができたのです。……とてもとても安心しました。

そして、リンゴの木の上のおばあさんのような突拍子のないおもしろさ、華やかさはないものの、こちらのおばあさんの実直な暖かさも素敵だなと素直に思えました。

また、リンゴの木の上のおばあさんとお隣のおばあさん、二人のどちらにも自分の祖母を思い出させる要素があり（お茶目で大胆でお裁縫が得意で……私のどんな話にもちゃんと向き合ってくれる人でした）、いまでは、この本を読むたびに祖母との幸せな記憶がよみがえってきます。

『リンゴの木の上のおばあさん』
ミラ・ローベ 作
塩谷太郎 訳
岩波書店（岩波少年文庫）

年齢や時を超えた心のつながり

トムは真夜中の庭で

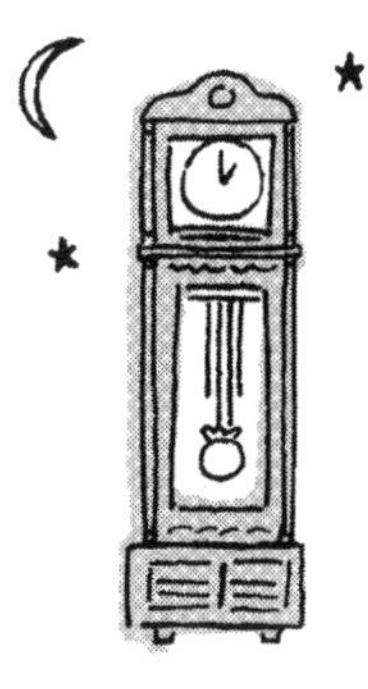

『トムは真夜中の庭で』は不思議な魅力を持った物語です。読んでいる最中は、ずーっとどこか愁いを帯びた切ない雰囲気を漂わせているのに、最後まで読み終わると、とても暖かな気持ちになれるのです。そのため、私はこの本を読むときは、だらだら拾い読みしたりせず、じっくり向き合える時間があるときに一気に読むことにしています。これからはじめて読む人にも、最初は集中して一気読みすることをぜひともおすすめしたいです。

この物語の主人公のトムは、弟がはしかになってしまったため、ひとりでおじさんとおばさんのいるアパートに預けられることになります。不貞腐れていたトムですが、真夜中の不思議な時間、自分だけが行くことのできる秘密の庭で忘れがたい体験をします。

はじめてトムが真夜中の庭を訪れる場面は、実に生き生きと描かれていて、トムの驚きと喜びと興奮とともに、月の光に照らされた、ちょっと湿った庭の空気が伝わってきて、なにかが起こる予感に胸がざわつきます。

その後、おじさんやおばさんたちは、庭の存在に気がついていないということにトムは気がつきますが、そのことでますます、庭に惹かれていきます。

トムにとって、その庭の存在がどんなに大切だったのかがとてもよくわかる箇所があります。

「はじめのうちは、あの庭園がなくなっているのじゃないかと心配だった。一度などは、庭園へ出るドアにいったん手をかけたのに、庭園がもしなくなっていたらと思うと悲しくなって、ひきかえしてしまった。のぞいて見る元気なんて、とてもでなかったのだ。」

ここを読むと、トムのいじらしさに胸がきゅんとしてしまいます。

毎晩のように、真夜中の庭を訪れるようになったトムはそこでハティという少女に出会います。庭のある世界で、トムのことが見えて、トムと話すことができるのは、このハティという少女だけ（後に、もうひとり、トムのことを認識している人物が出てきますが……)。トムとハティは、徐々に親しくなっていくのですが、お互いがお互いを〝幽霊かもしれない……〟と、頭の片隅で思っているため、二人の距離感は少し独特です。トムにとってもハティにとっても、お互いは「自分だけが知っている」不確かな存在。でも、それぞれ孤独な二人にとっては、相手が何者なのか、実在しているかどうかということよりも、いま、側にいてくれることの方が大切なのだという切実さが、言葉の端々から感じ取れます。切なさもあるものの、二人が出会えてよかったなぁとしみじみ思い、少しでも長くこの時間が続きますように……と読み進めながら祈らずにはいられませんでした。でも、そんな私の願いはむなしく、物語のなかの時間は確実に進んでいきます。トムを置いてどんどん大人になっていくハティ(ハティが大人になっていくことは、トムにも子ども時代の終わりが来るということを暗示していて、思春期の頃はそれもたまらなく嫌でした)。

唯一の救いは、ハティが大人になっていってもトムとの関係性が変わらないというところです。そして、私がこの物語のなかで、最も惹きつけられたのは、このトムとハティの年齢や時を超えた心のつながりの部分です。なんといっても忘れられないのは、この物語の最後の場面です。

「トムが駆けあがっていくとね、ふたりはしっかりと抱きあったの。まるで、もう何年もまえからの友だちみたいで、けさ知りあったばかりだなんて、とても思えなかったわ。……」

トムが階段を駆け上がりハティを抱きしめるところは、何度読んでも胸がいっぱいになってしまいます。はじめて読んだときに〝この場面には、トムとハティの「あいよぶ魂」が時を超えて再び触れ合う瞬間が描かれている!!〟と感じ、大興奮でした。……「あいよぶ魂」とは『赤毛のアン』のなかでアンが使っている言葉です。やたらドラマティックな言葉なので、実生活で使ったことは一度もなかったのですが、この場面を読んだとき、この言葉がパッと頭に浮かびました。それ以来、この言葉がこんなにしっくりくるシチュエーションはほかにはないと思い、この場面を読むたびに心のなかで「あいよぶ魂」と唱えてしまいます。

「友情」「同情」「恋愛感情」そのすべての感情をひっくるめた大きな「愛情」が描かれている、とっても素敵な終わり方で、私の好きなラストシーン・ベスト3に入るくらいお気に入りです。

私は、小さい頃から一貫して、まず感情の流れを優先して読むタイプなので最初はあまり気に留めませんでしたが、あらためて注意深く読み返すと、この物語には伏線やしかけが緻密に張り巡らされており、そのひとつひとつの回収の仕方も見事です。現在と過去、現実と夢の世界の設定や、なぜそこへ行くことができるか……という物語の世界観の設定がとても巧みなので、ファンタジーが少し苦手と思っている人にも、読んでみてほしい一冊でもあります。

『トムは真夜中の庭で』
フィリパ・ピアス 作
スーザン・アインツィヒ 絵
高杉一郎 訳
岩波書店（岩波少年文庫）

人形たちのひたむきな思い

人形の家

このお話の主人公のトチーは、とても小さな木でできたオランダの一文人形です。トチーの家族は、こわれやすい男の子人形だったプランタガネットさん、セルロイド人形のことりさん、フラシ天でできたりんごちゃん……というように、もともとバラバラの種類の人形たちを、持ち主であるエミリーとシャーロットがそれぞれの人形に役割を与え、寄せ集めではありますが「家族」という設定のなかで穏やかに暮らしています。

このお話において、それぞれがどんな人形なのかをイメージできるかどうかはとても重要なポイントです。一文人形やセルロイド人形が、どんな人形か想像するのは難しいと思いますが、この本では堀内誠一さんのとても魅力的なイラストがあり、物語を読み進めるのに大いに助けになっています。このイラストなしでは、この本の魅力

も半減してしまうと思っているくらい、私はこのイラストがお気に入りです。

　人形たちにとっても、持ち主のエミリーとシャーロットにとっても、深刻な問題は人形の家がないことでした。しかたなくトチーたちは靴箱のなかで窮屈に暮らしていました。でも、あるとき、大おばさんの遺品で古いけれど立派な人形の家（トチーが昔、暮らしていた）を譲ってもらえることになります。

　その古く汚れてしまった人形の家を、エミリーとシャーロット（と人形たち）が修理して、きれいにしていく過程は、この物語のなかでもっとも幸せな時間ではないでしょうか。人形たちがよい家になるようにひとつひとつ願いを込めている様子を読み、私も一緒になって息をつめてそれを見守り、子どもたちに無事に願いが届くと、ほぉっと胸をなでおろし……と、一喜一憂しながら家の完成を待つ時間は楽しくてときめきます。

　私は子どもの頃に、半分だけ自分の人形の家を持っていたので、人形の家を持つ嬉しさも、持てない悲しさも両方わかります。……なぜ半分だけかというと、私の人形の家は一年の内の半分は私の手元にはなかったからです。私の両親は子どもの本の専門店を開いていて、お店でドイツ製の木のおもちゃを取り扱っていました。お店でも扱っている大きな人形の家は私の密かな自慢でしたが、クリスマスやおもちゃ展といったお店のイベントがあると、私の人形の家は商品見本として店頭に展示され、私が自由に遊べるのはお店が忙しくない時期だけだったからです（いまになって考えてみると、両親にしてみたら、お店の商品見本を私に貸してくれているつもりだったのかもしれません!?）。お店から戻ってくると、家のなかを自分好みに整えて、人形を家に戻して、ほっと落ち着く……というのが毎回のことでした。人形ごとお店に貸すのは嫌で、人形たちには年に半分は家無し生活をさせていたのを、この本を読んで深く反省したものです。

人形たちのひたむきな願いが、エミリーやシャーロットにも届き、人形の家は理想の形に近づきはじめますが、マーチペーンという上品で美しい人形が登場したあたりから、徐々に不穏な空気が流れはじめます。木の一文人形のトチーと、子やぎ皮とせともので作られた高価な人形のマーチペーンとではなにもかもが違いますが、二人はかつて大おばさまの人形の家に一緒に住んでいたことがありました。人形の展覧会で再会するトチーとマーチペーン。トチーの嫌な予感が当たり、その後、マーチペーンはエミリーとシャーロット……つまりトチーたち家族のところにやってきます。せっかく、大おばさまの人形の家がすっかり素敵にリフォームされ、トチーたちのものになったというのに、突然やってきたマーチペーンが、いつのまにか人形の家を支配してしまいます。
このお話の複雑なところは、マーチペーンがどんなに高慢ちきで嫌な人形だったとしても、彼女がどのような立場に配置されるかは持ち主のエミリーとシャーロット次第だというところです。人形たちは自分の意志では、子どもたちに与えられた役割を拒否することはできません。彼らはそれを受け入れることしかできないというもどかしさ。

……自分では動くことのできない人形だからこそ、より不自由にもどかしく感じますが、この本に出会った頃の私にとっても、人形たちのおかれた状況が他人事とは感じられませんでした。「真面目」とか「活発」とか「静か」とか……いったん、先生、クラスメイトのあいだで「この人はこういう人」というキャラクターが認識されてしまったら、そこから抜け出すのは大変です。まわりを窺いながら、できるだけはみださないようにいなくはいけない窮屈さと、トチーたちのもどかしさを重ね合わせていました。いまとなってみれば、私にもう少し勇気があれば、自分の意志で状況を変えることはできたはず。当時は、人形の立場に自分を重ねることで、現実から逃げていたのかなぁと冷静に分析してみています。でも、そうすることで必死にバランスをとっていたのだと思うので、その意味でも、あの時期のこの本に出会えたことは私にとって幸運でした。

私が子どもの頃に持っていた人形は、このお話の主人公のトチーと同じ、木の小さなお人形でした。その頃、世間ではシルバニアファミリーが大流行していて、お人形遊びを友だちとするると、ほとんどの子がシルバニアファミリーのかわいい動物を持ってきていました。友だちの持っている、まるっこいかわいらしい動物と並べると、私のお人形は、武骨でそっけなく思えてきて、それまで自慢のお人形だったのに、正直ちょっとへこみました。でも、しぼんでしまった気持ちを復活させることができたのは、この本の作者のルーマー・ゴッデンが書いた人形の本を愛読していたからだと思います。ゴッデンは人形を主人公としたお話を数多く書いています。そのなかでも『元気なポケット人形』（現在は『ポケットの中のジェーン』〔徳間書店〕）や『ふしぎなお人形』（現在は『ふしぎなようせい人形』〔徳間書店〕）のお話が私はお気に入りで、人形のなかでもとりわけ小さい人形にとても強い憧れを抱いていました。いつも一緒に連れて歩けるような特別な人形に出会いたい、もし、そんな人形に運命的に出会えたらなにか不思議なことがおこるかもしれないと密かに考えていたからです。残念ながら子どもの頃には運命の人形とは出会えませんでした。大人になったいまでも、子どもの頃の憧れを引きずっているのか、いまだに小さいものが大好きでついつい集めるのをやめられません……というのは言い訳でしょうか。

ゴッデンは物語を通して、一貫して「人形にできるのは願うことだけ」ということを語っています。自分から動くことのできない人形にとって、唯一できることは願うことだけ、というゴッデンの考えは、すっかり私にも刷り込まれています。とくに『人形の家』には、願うことしかできない人形の悲しさ、願ってもかなわないこともあるということが書かれていて、たまらない気持ちになる部分もあります。

でも、現実の厳しさを、はっきり突きつけてくるからこそ、この物語は心に迫ってくるのだと思います。そのうえで、ひたむきに願い続けることの尊さ、強さ、さらにその先にある希望を感じさせてくれるから、私は何度でもこの物語を読み返したくなるのです。

『人形の家』
ルーマー・ゴッデン 作
堀内誠一 絵
瀬田貞二 訳
岩波書店（岩波少年文庫）

愛すべきでたらめなおじさん

やねの上のカールソン

カールソンに出会ったときの衝撃はいまもはっきり覚えています。『やねの上のカールソン』で、カールソンが登場する場面の「カールソンは、とても小さくて、まるまるふとって、自信家の男の人で、しかも空を飛べます」という描写を読んで「???」大きな疑問符が頭のなかに浮かびました（しかも、おへそのまんまえにあるつまみをひねって背中にあるモーターを動かして空を飛ぶというのです……）。

まず、屋根の上に住んでいる丸々太ったおじさんが主人公のお話なんて、これまで読んだことがありません。それだけでもびっくりなのに、少し読み進めると、このカールソンというおじさんは根拠のない自信家で、ちょっと嘘つきで意地汚くて、なにかと騒ぎを起こすかなり厄介な人だということがわかりさらに衝撃を受けました。

このお話のもうひとりの主人公、リッレブルールという少年とカールソンが出会ったその日、カールソンは自らを「世界一の曲芸飛行士」で「世界一の蒸気エンジン運転手」だと名乗ります。そして、自信満々に誤って蒸気エンジンを爆発させてしまいますが、まったく悪びれずリッレブルールに後のことはおしつけて屋根の上の家に帰って行ってしまいます。

再び現れたカールソンは、前回のことを謝るわけでもなく、今度は自分のことを「世界一のオンドリ画家」で「世界一すばやい掃除人」で「世界一のつみ木つくり」だとうそぶき、夕ご飯の肉だんごを味見した挙句に肉だんごでいたずらをしたまま部屋からいなくなってしまいます。そのおかげで、リッレブルールは家族からは嘘つきだと思われてしまいます。なんて気の毒なリッレブルール！

カールソンのあまりのでたらめっぷりと奇想天外な行動に思わず何度か吹き出してしまったものの、一方で「こんなにずるくておかしなおじさんが主人公でよいの⁇」とあっけにとられ、「もう！　なんなの、このおじさん‼」と、リッレブルールのために大いに憤慨していました。

でも、私がカールソンのことを「ちょっと！　ひどい‼　リッレブルールがかわいそう‼」と思って読んでいるときにはすでに、お話のなかのリッレブルールはカールソンのことをすっかり気に入って「世界一のあそび友だち」だと思ってしまいます。……リッレブルールが好きだと言っている以上は、こちらがいつまでもカールソンに腹を立てても仕方がないので、私は早々に自分の立場に引き寄せてこのお話を読むのを諦めました。

するとどうでしょう。「私がリッレブルールだったら……」とか、「私のところにカールソンが来たら……」と想像するのをやめたとたん、カールソンのことが急に好きになりはじめました。一歩離れてみると、なるほど、こんなにおかしなおじさんにおめにかかることは滅多にありません。実際に近くにいたら困るかもしれませんが、本のなかで出会うには最高におもしろい大人だということに気がついたのです。

ばればれの言い訳も、ずるいごまかしも、困ったいたずらも……どうどうとやってのけるカールソンの図々しさにすっかり感心してしまいました。

いまでも、ちょっと自信がなくなったときや自己嫌悪に陥ったときには、カールソンに元気をもらうこともしばしば……いつだって世界で一番自分自身のことが大好きなカールソンを見ていると、ふっと肩から力が抜けるような気がします。自信過剰で、でたらめで、わがままな愛すべきカールソン！

最初は、カールソンの強烈なキャラクターばかりに気を取られがちですが、何度か読み返すうちに、カールソンに振りまわされながらも、リッレブルールが少しずつ成長していく姿にも気がつきました。カールソンはすでに大人ですし、自分自身に自信があって変化する気なんてさらさらなさそうですが、スーパーポジティヴなカールソンに影響され、リッレブルールの両親や友だちとのかかわり方が徐々に変わります。

カールソンを見習ってとか、カールソンに教えられたからではなく、カールソンとかかわることでリッレブルールのなかに生まれた変化と次第に成長していく姿を感じることができます。バタバタ楽しい、賑やかなお話のなかでも、子どもの心の変化や揺らぎをさりげなく書き留めてあるところが……さすが、リンドグレーンなのですよね。

日本ではなぜだかあまり知名度のないカールソン。私も、カールソン好きの人に出会ったことはほどんどなく寂しいかぎり。何年か前に訳者の石井登志子さんと岩波書店の編集者の方と三人でお話しているときに偶然にもカールソンの話になり、大いに盛り上がり、一気に心の距離が縮まりました。「世界一のオンドリ画家」という言葉だけで大笑いできるのは、この本の読者だけでしょう。同じ本を読んでいるというだけで、急に親しい気持ちになれるのってすごく幸せなことだなぁと、しみじみ思った出来事でした。それ以降はこのシリーズを読むとそのことを思い出します。これもカールソンのポジティヴパワーのご利益でしょうか⁉

『やねの上のカールソン』
アストリッド・リンドグレーン 作
イロン・ヴィークランド 絵
大塚勇三 訳
岩波書店

行く先を照らす光
はるかな国の兄弟

『はるかな国の兄弟』は、自分が最も生きているのがつらかった時期に、心に寄り添ってくれた本のひとつで、いまでもずっと、灯台の光のように私の心を照らしてくれている大切な大切な物語です。

どうにもこうにも生きにくかった中学生時代。精神的な不安定さが身体に影響してしまい、気力も体力もなくなっていた頃に、すがるように何度も繰り返して読んでいました。いまでも表紙を見るだけで、苦しくってもがいていたあの頃の自分と、どれだけこのお話に救われていたかを思い出して、この本を抱きしめたくなります。

なぜ、こんなにも『はるかな国の兄弟』が中学生の頃の私の心に響いたのか……それは、私の魂がそれまでで最も死の世界に近いところにいたせいだと思います。あの頃の私は思春期の体調不良に加え、とにかく無気力でした。かといって、自分の死に

ついて現実味をもって意識していたというわけでもなく、どちらかというと生きていることに実感や喜びを見出せないような日々でした。そんなときだったので、自分と同年代の子どもの死について、死後の世界について描かれているこのお話に自然と惹きつけられたのだと思います。

身体が弱く足が悪いクッキーと、優しくてきれいな王子さまのようなお兄さんのヨナタン。もうすぐ自分が死ぬと知って泣くクッキーにヨナタンは死ぬのは恐ろしくない、死んだらヨナタンもクッキーも同じナンギヤラという場所に行くのだから大丈夫と教えます。地上とナンギヤラでは時間の進み方が違うから、ヨナタンがどんなに長生きをしたとしても、クッキーがひとりぼっちでいなくてはいけないのは二日くらいなものだよ……と。それでも先に死ぬことが不安なクッキーでしたが、ある日、思いもよらないことが起こります。家が火事になり、ひとりでは動けないクッキーを助けようとしたヨナタンが命を失ってしまうのです。僕が代わりに死んだほうがよかったのに……と心苦しく思うクッキーにも、その後、ナンギヤラに行くときがきます。以前、ヨナタンが話していたとおりに、サクラ谷にある騎士屋敷で、二人はレヨンイェッタ兄弟として再び一緒に暮らしはじめます。

死後の世界だからといって、ナンギヤラは多くの人が想像するような穏やかでゆったりとした場所ではありません。一見、美しくて穏やかなサクラ谷ですが、独裁者から自由な暮らしを守るために、朝から晩まで危険な冒険に明け暮れなくてはなりません。そして、ナンギヤラにも「死」は存在します。ナンギヤラは楽園でも天国でもないのです……。

私は、ナンギヤラにさえ行けば、今度こそ平和に穏やかに、ヨナタンとクッキーが過ごせるのだと勝手に思い込んでいたので、ナンギヤラが戦いや裏切り、死刑さえある世界だとわかり、がっかりしました。それなら、いつになったらこの二人は幸せに暮らせるのかしら？　と思い、少しのあいだ、暗い気持ちになりました。

でも、ここでもヨナタンは勇ましく、優しくクッキーを励まし、クッキーはヨナタンの背中を追いかけて、自分を奮い立たせ果敢に冒険に挑みます。長く苦しい戦いの果てに、二人が選んだ道は……。

最後の場面をどうとらえるかによって、この物語の印象は随分と違うものになるでしょう。私はほとんど毎回、最後の場面では泣いてしまいます。でも、そのときの涙は悲しみだけからくるものではありません。なにかが浄化されたような清々しい涙も混じっています。それまでの苦しさから解放されるような、憑きものが落ちたような気持ちになるのです。ナンギヤラに来る前に「レヨンイェッタ」（ライオンハート／勇敢な心という意味）と呼ばれていたのはヨナタンだけでしたが、この物語の最後の最後で、クッキーもレヨンイェッタという名を自分のものにしたのだなと思うと胸がいっぱいになります。

もしかしたら、この終わり方のせいで、子どもに読ませるのはよろしくないと考える大人がいるかもしれません。そのように考えるのは、この物語が「死」という選択を肯定しているように子どもが思ってはいけないという配慮からだと推測します。

でも、子どもにとっても、「死」というものは案外、身近にあるものです。私自身は、子どもの頃や思春期の頃の方が「死」の気配に敏感だったように思います。なんだか得体が知れなくて、畏れていいのか憧れていいのかわからないものだった「死」というものについて、この本を読み終えた後、少し理解できたような気がしました。ただ、やみくもに怖がるのではなくて、誰にでも必ず訪れるものなのだと思うことができました。そのことで、逆にいまを生きていくことの覚悟ができたというか……勇気をもらった気がしました。それは、どの世界にいても懸命に生きたレヨンイェッタ兄弟の姿が胸に刻まれたからです。

振り返ってみると、私の死生観の大部分はリンドグレーンの作品から学んだものです。……「学ぶ」というと、本のなかになにか明確な答えがあるように思われるかもしれませんが、そうではなくリンドグレーンの作品から感じ取ったものが、自分の考えのベースになっています。とくにこの『はるかな国の兄弟』から受けた影響は大きいなと感じます。これからも、悩んだりつまづいたりしたときは、私の行く先を照らしてほしい……と頼りにしていますし、私もライオンハートをずっと持っていられるような人でいられたらいいなと思います。

『はるかな国の兄弟』
アストリッド・リンドグレーン 作
イロン・ヴィークランド 絵
大塚勇三 訳
岩波書店（岩波少年文庫）

宝石箱のような短編集
しずくの首飾り

『しずくの首飾り』は、まず表紙に一目ぼれした本。タイトルを聞くと内容と同時に表紙の絵がすぐに思い浮かぶくらいに印象的。パッと目を惹くオレンジの太陽を背景に、竜にまたがった女の子が描かれていますが、女の子だけがシルエットになっていて、どんな顔なのかはわかりません。その女の子が首から下げた首飾りを指でつまんでいて、「これは絶対におもしろいに違いない!」ととびつきました。予想どおり、妖精のおばあさんや人形や竜……といった、ファンタジーの王道のような心躍る登場人物に、不思議議や魔法に満ちた出来事がつぎつぎに現れて、あっという間にこの本が好きになりました。

とはいえ、実はちょっとした誤算もありました。私はてっきり長編ファンタジーだと思って読みはじめたのですが、この本は短編集なのです。意気込んでいた私は最初ずっこけましたが、ファンタジー入門として読むにはちょうどよい短編集。満足度の高い、ほどよい長さのお話が入っているので、とても読みやすく、長編ファンタジーの橋渡しの一冊としてもおすすめしたいです。

この本には八つのお話が入っています。そのほとんどは、日常の生活を送っている登場人物がなにかしらのきっかけでファンタジーの世界へとび込むというストーリー。

自分の家や学校といった身近な場所から、舞台が一気にファンタジーの世界へ移動します。そのファンタジーの世界への飛躍が実に軽やかで、あざやか。気がついたら物語の人物と一緒に、自分も非日常のなかにすっぽりと入り込んでしまっています。

たとえば、表題作の「しずくの首飾り」では主人公のローラは、ふつうに学校に通う女の子。ほかの人と違うのは名づけ親である北風がくれた不思議なしずくの首飾りを持っていること。そのことをうらやましく思った同級生に意地悪をされ、首飾りはなくなってしまいます。首飾りを取り戻すために、ローラはイルカの背中にのってアラビアの王さまのもとへ……と、このように、現実とファンタジーの世界の往来が実に自由にできてしまいます。よくよく考えたら突拍子もないことの連続なのに、あまりにもさらりと描かれているので、もしかしたら、私にも不意に不思議な出来事が起きるのではないかと思ってしまうのです。

私がとくに親近感を持って読んだのは「ジャネットはだれと遊んだか」です。ひとりでお留守番をしていた夜、ジャネットに起こる不思議な出来事が描かれています。本のなかから人魚やトラやペンギンがとび出してきてジャネットといっしょに大冒険を繰り広げます。ひとりっ子で家にひとりでいることの多かった私にとっては、本のなかからいろいろなものが外にとび出してきたら……というシチュエーションがとても身近に感じられ、いつ私に起きてもおかしくない素敵な出来事に感じられたのです。

また、心をくすぐる不思議アイテムがつぎつぎに登場するのも、この本の魅力のひとつ。

このお話のタイトルでもある「しずくの首飾り」とは、ほそいほそい銀のくさりに雨つぶがついている首飾り。毎年、誕生日ごとに雨つぶが増え、そのたびにローラには不思議な力が使えるようになるというなんとも魅惑的なしろもの（このお話を読んでさっそく、雨の日に首飾りのチェーンに雨粒がつかないかをこっそり試してみましたが、ちっともうまくいかなかったどころか鎖がさびてしまい、がっかりしました）。

「足ふきの上にすわったネコ」にも、あるネコがすわったときだけ、願いごとがかなうという足ふき、「空のかけらをいれてやいたパイ」ではその名のとおり、空のかけら入りのアップル・パイが、「魔法のかけぶとん」では魔法が縫い込まれた素敵なかけぶとんが登場します。

魔法の力が備わっているアイテムが、もともとは身近にあるもののせいか、もし私が首飾りをもらえたら……もし、ネコがしきものの上にいるときだけ願いがかなうとしたら……というふうに、「もし、私だったらどうしよう〜」と想像するのが楽しく、読んだ後も物語の世界でたっぷり遊ぶことができました。

私が表紙に一目ぼれしたようにイラストの魅力も重要！　エキゾチックなピアンコフスキーの挿絵がお話をより魅力的に彩り、絶妙に読者の想像力を刺激してくれます。文庫版にも挿絵は挿入されていますが、残念ながら白黒なので、挿絵を堪能したい方には単行本がおすすめです。

『しずくの首飾り』
ジョーン・エイキン 作
ヤン・ピアンコフスキー 絵
猪熊葉子 訳
岩波書店（岩波少年文庫）

ときには思考と感情をフル稼働させて

時の旅人

『時の旅人』の本（評論社版）は本棚にはずっとあったのですが、手が伸びない本のひとつでした。それというのも、この本は、なんだか暗くて（表紙）、重くて（本の重量）、重々しい（内容）という子どもにはなかなかハードルの高い本だったのです。

でも、この本を書いたアリソン・アトリーが、大好きな『グレイ・ラビットのおはなし』のシリーズの作者であることを知り、さらに両親をはじめ本好きの大人たちが『時の旅人』について話をしているのを耳にして、「私だって読んでみたい！」という読書好きの心に火がつき、ようやくこの本に挑みました。

この物語は、主人公のペネロピーが、兄姉とともに、叔母さんのいるサッカーズの農園に預けられたことからはじまります。そこはもともとバビントンという貴族の館だったお屋敷の一部で、もともと不思議なものを見る力が強かったペネロピーは、そ

こで昔そこに住んでいた人々と出会います。過去と現在を行き来するうちに、ペネロピーは、幽閉されているスコットランド女王のメアリーを救い出す計画を立てるバビントン家の党首のアンソニーとその弟のフランシスと出会います。現代に生きるペネロピーはメアリー女王が処刑される歴史的事実を知っていながらも、その計画に協力することになり……。

歴史的背景に対する知識は皆無でしたが、そもそも、この本の主人公ペネロピーのいる「現在」でさえ、私にとってはかなり昔の遠い異国の話です。そのため、この物語のなかの「現在」も「過去」も同じくらい見知らぬ時代と場所で展開されているという状態。どちらかに違和感をおぼえたり戸惑う間もなく、ペネロピーと一緒にどちらの世界も受け入れるしかなかったのが、かえってよかったのかもしれません。気がついたらお話全体に流れる、どこか悲しく重厚感のある雰囲気にのまれ、歴史的背景を頭で理解するより先にストーリーに心を奪われて、勢いで読み切ったという感じでした。思考と感情、どちらもフル稼働して読まないとならなかったので、読み終えてしばらくは、この物語に圧倒されていました。

〝なんだかすごい物語を読んでしまった……〟という謎の達成感と、〝たとえ過去にさかのぼったとしても、歴史は変えることができない〟というあきらめのような感情を抱き、ほんの少し自分が大人になった気がしました。この「あきらめ」というのはマイナスな意味ではありません。自分がいる現在も、とても大きな時の流れのなかでは、ほんの一部なんだということが感じられ、妙にほっとしました。

この本は主人公のペネロピーの語りのまえがきからはじまっています。そして、そこには「この物語の中の多くのできごとは私の夢の中でおこったことだ。」と書かれています。それまで私が読んできたタイム・ファンタジーでは、時間の行き来は現実だったのか夢のなかだったのか……というのはあえて明言されていませんでした。そこをはっきりさせないところに想像の余地があり、それが好ましく感じられていたので、冒頭ではっきり「このお話は夢の中のできごと」と告げられたことには正直、面食らいました。

お話を読む前や、映画を観る前に「これは夢オチです」って告げられるのって、「夢のなかだからなんでもありですよ」って最初から保険をかけられている気がして、がっかりしませんか？　最初に種明かしをされているような気がして興味が半減してしまうというか……。同じように、このまえがきを読んだとき、子ども心に少なからず残念な気がしてしまいました。

ところが、物語を読みはじめて、そのときに感じた残念な気持ちは吹きとびました。……とくに後半、最初から悲劇だとわかっている方向にお話が進むにつれ、むしろ〝夢であってくれ〟と思ってしまうほどの展開になっていくからです。〝夢だよね？　無事に戻ってこれるよね？〟と心のなかで念押ししながら読み進めるのですが、ふっと気を緩めるとペネロピー自身が過去の世界に留まることを選択してしまうのではないかという危うさがあり、最後までずっとハラハラしていました。

ペネロピーが過去から戻ってきたときに、その体験を振り返って「わたしがした旅は夢でも眠りでもなく、空にみなぎる精気を通り、過去の時間にもどった旅だった。多分、わたしはその一瞬のあいだだけ死に、わたしの霊が過去に飛び……」と語っているところがあります。よくよく読むと死の予感がちらついていて、ちょっと怖くなります。さらにその後、ペネロピーは無意識のうちに夢のなかで過去に旅していることがあることに気がつきます。また、過去から戻ってこられない可能性があることに恐怖を抱きます。それでも、過去の世界に自分の居場所があると感じるペネロピー……。

結果的に、ペネロピーは現在に身をおくことになったけれど、それは彼女にとって幸せだったのでしょうか。私には、ペネロピーは、自分の心を夢のなか、つまり過去の方に置いてきてしまったままだと思えてなりません。物語を読み終えて、再びこのまえがきを読むと、たまらなく切ない気持ちがこみ上げてきます。

ストーリーを追いかけるだけではなく、農園やお屋敷の調度品、洋服、お料理といった描写の素晴らしさは、物語を豊かに彩っているだけではなく、この緊迫した物語の少しほっとできる部分でもあります。とくに草木やハーブがたくさん出てくるので、この物語のことを思い出すときは同時に香りを思い浮かべるほどです。

『グリーン・ノウ物語』や『トムは真夜中の庭で』のように、人間と同じくらい舞台となる場所そのものに意味があり魅力があるというのがイギリスのタイム・ファンタジーの特徴のひとつなのかもしれません。

『時の旅人』
アリソン・アトリー 作
フェイス・ジェイクス 絵
松野正子 訳
岩波書店（岩波少年文庫）

もちろん、歴史的背景を知っていれば、より楽しめる内容ですが、なにも知識がないままに読むからこそ、気がつけるものもあると思います。いろいろ難しいことは考えずに、でも腰を落ち着けてじっくり読んでほしい……そんな一冊です。

不思議なお話召しあがれ

魔法使いのチョコレート・ケーキ

『魔法使いのチョコレート・ケーキ』はマーガレット・マーヒーの短編集です。マーヒーは長編も読みごたえがありますが、私はこの短編集がいちばん好きです。

シャリー・ヒューズの生き生きとした線画もお話にぴったり。目次のページで一列になって行進している子どもたちが、各お話の扉に二人ずつリレー形式で登場しているという、本の作りも気がきいていて、読み進めるのが楽しくなります。

明るいお話からちょっとしんみりするものまで、どのお話も短いながらも味わい深く、読みはじめるとぱっとその世界に連れて行ってくれます。「今日はこのお話」「今日はこの気分」と好きなものを選んで読んでOKな軽やかさも魅力です。そのときどきで、お気に入りのお話が変わりますが、ずっと読み続けている一冊です。

「たこあげ大会」や「葉っぱの魔法」は、「もしかしたら自分もこんなことが起こるかもしれない……」とワクワクしてしまう日常のなかの魔法を描いています。どちらのお話も、ふだんの生活で起こりそうな、ちょっとした出来事の延長戦に魔法があるように書かれていて、とても自然です。子どもに手を差し伸べてくれる、おじいさんやおばあさんが、ただ者ではない存在感を醸し出しながらも、はっきり〝魔法使い〟という書かれ方をしていないというのも重要で、そのおかげで、日常生活の延長に不思議な出来事があるように感じることができるのだと思います。

「メリー・ゴウ・ランド」と「ミドリノハリ」はとくにファンタジー色の強いお話。自然界のなかにいる……畏れを感じるほどの神秘的な存在が登場することによって、なんでもあり……というか、どんな不思議なことが起こっても納得せざるを得ない世界線になっています。たとえば、「メリー・ゴウ・ランド」に出てくる森の住人たちの魔法がかかったメリー・ゴウ・ランドがどのように書かれているかというと、「たちまち、馬の耳から、青と白のチョウの群れが、雲のように舞いたち、バーニーのバイオリンの弓の下からは、青い鳥とトンボの群れがとびたちました。小屋の真ん中の柱からは、葉っぱや、ブドウや、白い花がのびてきて、子どもたちは、ぐるぐるまわりながら、手をのばして、ブドウの実をつまむことができました。星のたくさんついている青い天井は、どんどん、どんどん、高くのぼっていって、空いっぱいにひろがり、三日月や、ほうき星や、たくさんの星ぼしは、仲間同士で浮かれあそびをはじめました。そして、なによりもおどろいたのは、十頭の木馬が、にじの色のつばさをはやし、上へ上へとのぼっていき、星といっしょにおどりはじめたことです。」

（『メリー・ゴウ・ランド』より）

自分の想像が追いつかないほどの素敵な描写に、想像力がかなり鍛えられました。最近はVR体験などが気軽にできるようになりましたが、本を読むだけで、世にも不思議なメリー・ゴウ・ランドに自分が乗ったような気になれるのですから、あらためて物語の力は偉大だと思います。

「遊園地」は日常とファンタジーの世界の真ん中にあるようなお話で、夜のあいだだけ子どもになった鳥たちが、本当の人間の女の子＝リネットと一緒に遊園地で遊びます。夜の時間、鳥の子どもたちと遊ぶことで自信のついたリネットは昼間の世界でも生き生きと楽しく誰よりも勇ましく遊ぶことができるようになるのですが……。

夜中の公園で鳥の子どもたちとリネットが遊ぶ場面は、とても幻想的で美しく、私のお気に入りでした。自分がふだんから遊んでいる公園が夜になったらどうなるのか……と想像してみるのも楽しかったのです。

その一方で、リネットが放ったひと言で、楽しく美しかった夜の公園の時間が終わってしまう残酷さに、毎回、呆然としてしまいます。あんなに素晴らしい時間が、一瞬で終わってしまう悲しさ。

リネットは嬉しい気持ちと得意な気持ちが膨れ上がった結果、言わなくてもいいことを言ってしまい……それが、取り返しのつかないことになってしまいます。子どもの頃に、褒められると調子に乗って、結局は怒られるという苦い経験を何度もしている私には、他人事には思えず、何度読み返しても胸が詰まるお話でもあります。

このほかにも、本のタイトルにもなっている『魔法使いのチョコレート・ケーキ』などの短編が三つ、詩が二つと、いろいろな味のチョコレートボックスのようなバラエティに富んだお話集です。

どのお話にも共通しているのは「ちょっと不思議」ということ。「ちょっと不思議」の「ちょっと」の度合いがお話によって違いますが、不思議を信じる柔軟な心さえあれば、日常から離れて、いつでもお話のなかにとび込んでいけます。

『魔法使いのチョコレート・ケーキ』
マーガレット・マーヒー 作
シャーリー・ヒューズ 画
石井桃子 訳
福音館書店

理想の男子
点子ちゃんとアントン

エーリヒ・ケストナーの作品のなかで好きな作品ベスト3を選ぶとしたら『ふたりのロッテ』『飛ぶ教室』そして『点子ちゃんとアントン』になります。なかでもとくにごひいきなのは『点子ちゃんとアントン』です。

『ふたりのロッテ』は女の子ばかり出てくるお話、『飛ぶ教室』は男の子だらけのお話です。どちらも、とてもおもしろいのでケストナー作品入門にはもってこいですが……まず一冊ということになれば、私は『点子ちゃんとアントン』をおすすめしたいと思います。

『点子ちゃんとアントン』は女の子と男の子が主人公なところが特徴。また、お金持ちの点子ちゃんと、貧しいアントン……というふうに二人の境遇が異なっているのも、バランスがよいし、なんといっても私はこの二人のキャラクター、とくにアントンが大好きなのです。ここ何年も「私の理想は『点子ちゃんとアントン』のアントンのような人」と言っているくらいです（当然、この本を読んだことのない人にはポカンとされますが、知っていてくださる方とは一気に仲よくなれます）。

アントンのどこが好きかというと、なんといっても健気なところです。病気のお母さんを助けるために、家事をし、夜の仕事（路上で靴ひもやマッチを売る）をして、家計簿をつけてやりくりをし……絵にかいたような勤労少年。たとえば、アントンがかき卵を作りながら自分自身に言う「塩をわすれまいぞ、アントン」というセリフが出てきますが（高橋健二訳。池田佳代子訳では「塩を忘れるなよ、アントン」です）このひと言に、アントンが本当は慣れない料理を、自分自身を鼓舞しながら果敢に作っている様子が透けて見えて、それだけでキュンとしてしまいます。お金持ちの点子ちゃんと自分を比べて卑屈になったりせず、誇り高くて、ちょっとやんちゃで腕っぷしも強くって頼もしいのに、お母さんの機嫌を損ねてしまっただけで絶望してしまう極端なところも憎めない……本当によい子なんです、アントンって。

そんなアントンと、天真爛漫、自由でものおじしないおしゃまな点子ちゃんとの相性は抜群。点子ちゃんとアントンの会話がおもしろいのも、この物語のテンポをよくしています。このコンビは、それぞれの得意分野で相手に手を差し伸べて、自然と助け合っている姿がすてき。裕福ではあるけれど、両親にちっとも構われていない点子ちゃんと、お母さんと二人仲よく暮らしてはいるけれど明日の生活もおぼつかないアントン。二人が出会うのは夜の仕事（物乞いの真似事……点子ちゃんはごっこ遊びの延長で、アントンは生活のためにやむを得ず）がきっかけだということや、点子ちゃんの養育係のアンダハトさんが恋人に指示されて点子ちゃんの家に強盗に入ろうとしたりするなど……物語のなかで起きていることを、よくよく考えてみると決して明るく楽しいことばかりではありません。それでも、じめっとした重苦しさを感じず、軽快に読めるのは、点子ちゃんとアントンが、自分のことも相手のこともかわいそうに思ったりするのではなく、尊重し合っているからです。それが物語をポジティヴな方向へ導いていると思います。

また、ダックスフンドのピーフケや家政婦のベルタさんという、魅力的で気持ちのよい登場人物が活躍しているのも、物語の軽やかさに一役買っています。点子ちゃんが両親に構われていなくても、元気に楽しくやっているのはこの二人（一匹とひとり）の役割が大きいのではないかなとも思うのです。

このお話で唯一、私が湿っぽく感じるのは、アントンとお母さんの心がすれ違う

「ガスト夫人、がっかりする」「なんとか、最悪の事態をのがれる」の章でしょうか。お母さんが落胆のあまり、アントンに冷たい態度をとってしまうくだりに〝アントンはこんなに頑張っているのに、これくらいのことで気を悪くするなんてひどい。アントンがかわいそう……〟と子どもの頃は本気で憤慨していましたが、いまとなってはお母さんの寂しさも少しは（アントン贔屓なもので）理解できるようになりました。大人であっても子どもであっても怒ったり泣いたりするのは一緒ですものね。

ほかの作品にも言えることですが、ケストナーの物語に出てくる大人たちが完ぺきな存在ではありません。ダメなところも弱いところもはっきり描いているところが痛快です。現実の世界においても、大人がいつも正しくて優しくて間違わないなんてことはないということを子どもはちゃんとわかっていますから、そこを隠してないというところで作者への信頼感がぐっと増すのではないでしょうか。少なくとも、私の場合はそうでした。

もしかしたら、この本を楽しめるかのひとつのハードルになっているかもしれないのが、毎章ごとにある「立ち止まって考えたこと」というケストナーがひと言ふた言、自身の見解を述べるコーナーです。私は子どもの頃は〝校長先生のお話のコーナーきました〜〟などとヘラヘラ不真面目な態度で読み流していましたが、この注釈をお説教臭く感じてしまう人もいるかもしれません。もし、それでお話を読み進められなくなったとしたら、それはとってももったいないので、はじめて読むときはこの部分は読み流しても読みとばしても構わないと思います。お話の展開にはほとんど関係ありませんから……。でも、その後（いつでもかまいませんから）もう一回、全体を通して読み直してほしいなと思います。ケストナーの考え方を感じとることのできる、物語のパーツのひとつであることは間違いありませんので……。少し大人になってからこの本を読むと、この「立ち止まって考えたこと」が案外心に刺さったりすることもあります。自分の感じ方の変化を感じるのも楽しいものですよ。

『点子ちゃんとアントン』
エーリヒ・ケストナー 作
ヴァルター・トリアー 絵
池田香代子 訳
岩波書店（岩波少年文庫）

そっけなくても……好き
メアリー・ポピンズ

はじめて、このお話を読んだときは、まずはメアリー・ポピンズのとっつきにくいキャラクターに面食らいました。メアリー・ポピンズは「鼻持ちならないイヤな人」ではないのですが、自己評価が高くてちょっと偉そうで高圧的。ときおり見せる優しさに油断して、甘えようものならぴしゃりと一線を引かれてしまいます。

「最初は怖かったり不機嫌なキャラクターには、そのようになる理由や過去があり……でもお話が終わる頃にはすごく素直に優しくなる……」という展開になってもよさそうなものですが、メアリー・ポピンズのキャラクターは東風にのって現れて、西風にのって去っていくまで、つまりお話の最初から最後まで、徹頭徹尾変わりません。

特定の人物（ボーイフレンドのバートや彼女の不思議な親戚や知り合い）には態度

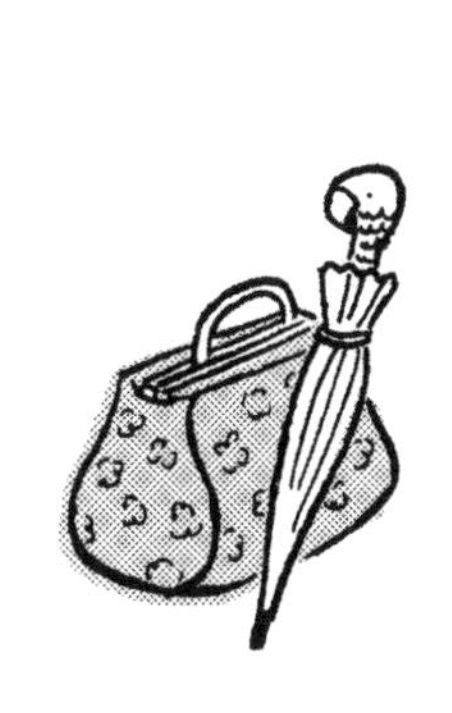

がやわらかくなるものの、バンクス家の人々や子どもたちとは距離を縮めようとも思っていなさそう……そして、メアリー・ポピンズのその姿勢はとくに変わらないままにお話が終わってしまうのです……最初に読んだときは、まずそのことにたいそう驚いたのですが、そのそっけなさが妙に魅力的に思えて、なぜか気に入ってしまいました。バンクス一家にとっても、それは同じようで、メアリー・ポピンズはいつのまにか一家にとってはなくてはならない存在になります。

メアリー・ポピンズはバンクス家を去ってから、二度三度とバンクス家を訪れるのですが、彼女自身の態度はほとんど変わりません。彼女のちょっと変わった親戚や知り合いはつぎつぎに出てきて、そのたびに不思議な出来事が起こります。それでも彼女が自分の素性を語ったり、子どもたちを甘えさせたり……ということはいっさいなく、それがよりいっそう、メアリー・ポピンズの特異な存在感を際立たせているように思います。

そんな厳格な態度のまま、階段の手すりに腰かけて上にすべり上ったり、からっぽのカバンからつぎつぎに物を取り出したり、ひとさじごとに味の違う魔法のシロップを飲ませてくれたり……。メアリー・ポピンズがただ者ではないとわかるようなエピソードが散りばめられていて、そのどれもが「日常にこんなことがあったら楽しそう！」とワクワクするようなものばかり……まさにエブリデイマジック！

日常生活のささやかな不思議な出来事だけではなく、空中でお茶会をしたり、物語のなかの子どもたちと会ったり、自分で作った粘土の人形たちの世界に入り込んでしまったり……奇想天外な出来事がつぎからつぎへと起こりますが、なにが起きてもメアリー・ポピンズは騒がず、動じず、ぶれることなくその場をおさめます。

メアリー・ポピンズがいることによって、非日常の出来事が日常生活のなかで起こりますが、またその逆もしかり。どんなに不思議な出来事が起こっても、彼女の存在があるからこそ、このお話の軸が現実世界に留まっているように思えます。

メアリー・ポピンズという存在が現実とファンタジーの世界の扉になっているかのようで、とても興味深いです。

こんなに非凡で癖の強いキャラクターなのに、どうしてディズニー映画ではあんな朗らかで華やかなキャラクター設定になったのでしょうか?? この原作のままのメアリー・ポピンズでも十分におもしろいと思うのですけどねぇと原作を愛している者として小声でぼやいておきます。

シリーズのなかで、私がとくに何度も読み返しているのは『公園のメアリー・ポピンズ』です（シリーズの四作目で一～三のあいだのエピソードをまとめた短編集）。

いま、読み返してみてもなかなかに含蓄のある「どのガチョウも白鳥」のように、大人になって読んだ方がドキッとするお話も入っています。子どもの頃に読んでいたときには、とくに意識しませんでしたが、思春期に読んだときにはちょっとした教訓めいたものを感じました（説教臭いというのとはちょっと違います）。ざっくりまとめると、いろいろあっても自分は自分で素晴らしいという主題なのですが……誰よりも自分を肯定しているメアリー・ポピンズの存在がより際立つ、とても印象深いお話です。

「幸運の木曜日」はこれまでに「わるい火曜日」（『風にのってきたメアリー・ポピンズ』）と「わるい水曜日」（『帰ってきたメアリー・ポピンズ』）に続く、〝○曜日連作〟（……勝手に名づけました）の木曜日版。

「幸運」といいながらも、ちっとも幸運ではない展開なのは、この○曜日連作のお約束。前の三冊を読んでいる読者にとっては、「やっぱりねぇ」となるお話です。

「物語の中の子どもたち」と「公園の中の公園」は子どもの頃にとくに好きなお話でした。この二つのお話は対になっていると私は考えています。

「物語の中の子どもたち」は物語のなかの子どもたちがこちら側の世界に出てくるお話、「公園の中の公園」は物語（厳密にいうと粘土遊び）の世界のなかにこちら側から入っていくお話です。どちらのお話も、読んでいるうちに、あちら側とこちら側、どちらが物語のなかで、どちらが現実なのか……と頭が混乱してきます。当たり前に信じていたことが視点を変えたらまったく違うことになるということに気がつくことができます。この二つのお話は比べて読むと、おもしろさが増すと思います。

どちらの世界も当たり前に行き来しているメアリー・ポピンズとはいったい何者なの……？　という謎も深まりますが、最後までメアリー・ポピンズの正体が謎のままというところも私は気に入っています。

また、マニアックな楽しみ方をしたい方におすすめの読み方をひとつご提案。

私には、マザー・グース（ナーサリー・ライム）の出てくるお話を読み返すという遊びが自分のなかでブームだった時期がありました。付箋片手に本を読んでは「見つけたよ！　ここにもあった！」と喜び勇んで母に報告していたのは懐かしい思い出です。

とくにイギリスのお話には隠れミッキーのごとく、マザー・グースが散りばめられたお話がたくさんあります。このメアリー・ポピンズのシリーズはマザー・グースの宝庫！　とくに『公園のメアリー・ポピンズ』にはマザー・グースに関連した登場人物や描写が多いので見つけがいがあります。宝探しをするつもりで、チャレンジしてみてはいかがでしょう。

『風にのってやってきたメアリー・ポピンズ』
Ｐ．Ｌ．トラヴァース 作
メアリー・シェパード 絵
林 容吉 訳
岩波書店（岩波少年文庫）

「姉妹のなかで誰が好き？」

若草物語

『若草物語』といってまず思い浮かぶのは、マーチ家の四姉妹ではないでしょうか。
きれいでおしとやか、ぜいたくな暮らしに憧れる長女のメグ。ボーイッシュで本好き、作家を志しているジョー。内気で体が弱く優しいベス。可愛らしいけれど、わがままな甘えん坊のエイミー。つつましい生活のなかでも賑やかで楽しくて……小競り合いをしたり、互いに慰め合い支え合いながら寄り添う姉妹の関係がとてもうらやましく思えたものです。隣に住んでいる、ローレンスさんとローリーも含め、マーチ家を取り囲む雰囲気全体が大好きです。

マーチ家の四姉妹のなかで私ははじめて『若草物語』を読んだときからジョーに夢中でした。行動力があって、大胆で、優しくて、作家になることを夢見ているジョーは四人の姉妹のなかで、どう考えても私には断トツに輝いて見えました。短気でそ

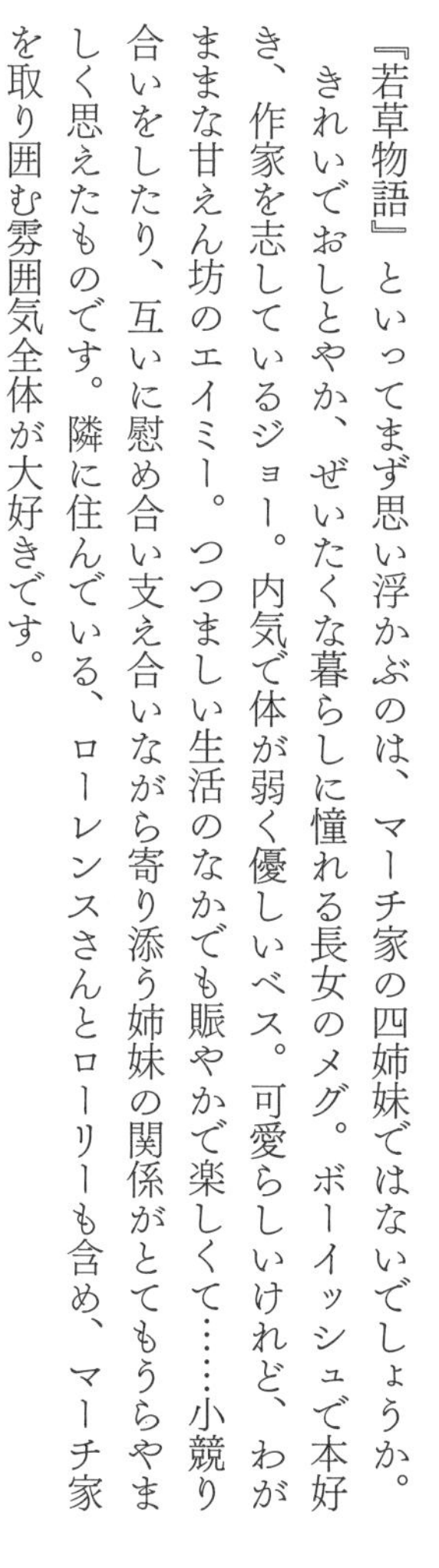

そっかしいところもチャーミングで魅力的に感じられましたし、本が好きで作家を目指して物語を書いているジョーは私の理想の女の子でした。

完全にジョーの目線でお話を読んでいたので、当然、姉妹のなかでお気に入りはベスで、メグは大事なお姉さん、そして犬猿の仲のわがままな末っ子のエイミー。ジョーとエイミーはしょっちゅう衝突し、小競り合いを繰り返していますが、最終的にはお互いを認め合っています……なので、本来ならば私もエイミーのことを「わがままだけど可愛い末っ子」と思わなければいけないところですが、どうしても私にはエイミーが鼻持ちならない嫌な子にしか思えませんでした。とくにエイミーがジョーの原稿を燃やしたことに大憤慨し、その後、二人が仲直りした後も〝エイミー許すまじ〟としつこく思っていたものです（そして、怖いことに大人になってもその気持ちはまったく変わっておらず、問題のこの章を読むたびに毎回、怒りが再燃します。我ながら恨みがましくて呆れますが）。人それぞれ好みはあるとはいえ、この本を読んでジョーを差し置いてほかの姉妹（とくにエイミー）がいちばん好きなんていう人がいるなんて一ミリも考えたことがありませんでした。

ところが、そんな勝手な思い込みを覆す出来事がありました。私は中学生の頃、運動部に落ちこぼれて、文芸部の部長をしていました（入部当初は部員は私と下級生の二人きり……で、必然的に二年生ながら私が部長でした）。顧問のおじいちゃん先生の選ぶ『高瀬舟』などの名作を粛々と読んでは感想を言い合うという、非常にひっそりとした部活動を一年間続けたのですが、翌年になり顧問の先生が新任の女性の先生に変わりました。

また「あまり本を読んだことがないけど楽そうだから」という理由で新入部員が五人も入ってくれたので、顧問の先生と相談して「読みやすそうな名作を」ということで、『若草物語』を課題本にして、読書会をすることにしました。会を進行するにあたり、「姉妹のなかで誰が好きか」というテーマでは、みんなジョーを選んでしまって盛り上がりに欠けるだろうから、とくに印象に残ったエピソードを話してもらおうか……などと思っていたのですが……。いざ、読書会がはじまり、みんなの意見を聞いてびっくり仰天！　メグやベスがいちばん好きという人だけではなく、なんと！エイミーを好きだという人もいるではありませんか。この本を読んだ人は無条件に全員ジョーが好きになると思い込んでいた私はとても衝撃を受けました。

それぞれに理由を聞いてみると「美人だし優しそうだからメグが好き」「自分は人見知りなのでベスに共感する」「自分も末っ子だからエイミーの気持ちがわかる」「ジョーはかっこいいと思うけど、自分と違いすぎて共感できない」など、私の発想にはない意見が出てきて、〝本の読み方って人によって違うんだなぁ〟と実感しました。また、それまで自分は完全にジョー視点で物語を読んでいたけれど、ほかの姉妹の視点で読んでみると、同じ物語でも別の感じ方をするのだなという新しい発見もありました。

それまで、読んだ本について、大人と話したことはあっても、同年代の友だちと意見や感想を話したことがほとんどなかったので、ほかの人がどのようにこの本を読んだのかという話を聴くのは、とても新鮮で興味深く、そのときの読書会のことはいまでも忘れられません。

……結局、子どもの頃から思春期に至るまで、本の話を率直にじっくり語り合える友だちはできなかったので、それ以降もほかの人と感想を共有する機会はほとんどなかったのですが、すっかり大人になった現在、ようやく児童書についてなんでも語り合える友人ができました。その友人たちと『若草物語』の話をすると、物語に出てくる食事や洋服やそのほかいろいろなエピソードの話で盛り上がった後、必ず「エイミーがいかに許せないか」という話になります。お互いに本が好きという共通項があるためか、エイミーがお話の原稿を焼いてしまったという罪がとくに許しがたい……という点において意見が完全に合致しており、いい歳をした大人が三人で「あれはない！」「許せんっ」という会話を延々としています。

傍から見れば、さぞかし不毛な会話のように思われるかもしれませんが、本人たちはいたって真剣です。

いまでも「誰が好きだった？」という話で盛り上がれるのは、それくらい四人姉妹のそれぞれが魅力的に描かれているからだと思いますし、憧れでも共感でも理由はなんでもいいので、誰かひとりに感情移入できれば、この物語は何倍も楽しめると思います。

そして、四人姉妹のほかにも忘れてはいけない重要人物は、なんといってもお隣のローリーです。おじいさまと一緒に暮らす裕福なお坊っちゃんですが、両親がいなく寂しい彼は、暖かくにぎやかなマーチ家に強い憧れを持っています。ローリーはジョーとは唯一無二の親友となりますが、ほかの姉妹との関係も良好。困ったときに手を差し伸べる姿は素敵ですし、誰にでも優しいけれど、ジョーには明らかに特別な親愛の情を持っていることがわかるので、ジョー信奉者の私もローリーのことはお気に入りでした。

ジョーのようになりたいと思っていた子ども時代は、ひたすらに彼女の視点で物語を読んでいましたが、ジョーの年齢を追い越したくらいからは、気がついたら、ローリーの視点で物語を読むようになっていました。ローリーの視点で見ると、マーチ家はいっそう、暖かく楽しそうで、あらためて憧れと愛おしさが増します。四姉妹の誰にも感情移入できなかった……という人は、ローリー視点で読んでみてはいかがでしょうか。

私がずっと愛読しているのは福音館書店の箱入りのハードカバー（ターシャ・チューダーの表紙と挿絵が素敵！）です。少しでも時間があったら読んでいたくって、この重い本をどこにでも持ち歩いて歩いていた時期があったので、かなりボロボロで穴が開いているページもあるくらい年季が入っています。しばらくのあいだは、続編があるということを知らなかったので、勝手にその後の話を想像して楽しんでいました。ところが、数年後に続編が出版されていることを知り、喜び勇んで一気に読みました。……こちらについても語りたいことは山ほどありますが、あくまでも個人的な意見としては、すぐに続編を読めなかったことが私にとってはよかったのかなと思います。そのまま続けて読んでいたら衝撃の展開にショックで倒れていたかもしれなかったので……。

現在は『若草物語1＆2』（谷口由美子 訳／講談社）という続けて読める本も出版され

ていますので、そちらで一気に読んでしまうこともできます。

『若草物語』では、まだみんな少女だった姉妹が続編では、大人へと成長していく寂しさもありますし、衝撃の展開もいくつかあるので、読み手の年齢に応じて、読みやすい本を選べばよいと思いますが、2を読むときはくれぐれも覚悟を持って読んでいただきたい……とあらかじめ忠告させていただきます。

「四人のなかで誰が好き？」という話題だけでも、同じ意見で盛り上がったり、友だちの意外な一面を知ることができたりするかもしれません。感想を共有することで、物語の世界も広がると思うので、そんな楽しみ方もおすすめです。

『若草物語』
ルイザ・メイ・オールコット 作
ターシャ・チューダー 画
矢川澄子 訳
福音館書店

共有する喜び

大人になってから児童文学について、心おきなく話せる友人に出会いました。私を含めて三人でほとんど毎月欠かすことなく集まって本のことや仕事のこと家族のこと好きなもののことを話しています。三人とも大まかな好みは似ているものの、得意なジャンル、好みの方向性が微妙に違うので、話していると新しい発見があるのが楽しい。同じ本を読んでも感想が違うこともあるし、好きなキャラクターが違うこともあります。読んでいなかった本を教えてもらったり、自分とは違う解釈に驚いたり……二人のおかげで私の読書生活に新しい楽しみ方のチャンネルが増えました。

あるとき、いつものようにわいわい好きなキャラクターについて話しているときに、ケストナーの『飛ぶ教室』の話になりました。私以外の二人はちゃんとこの物語を熟読していて、しっかりごひいきの男の子がいるとのこと。私はといえば『飛ぶ教室』に関しては、とくに誰が好きというほど読み込んでいませんでした。そこで、せっかくなので誰かごひいきの子を見つけて三人で《推し談議》をしようと思い、あらためて『飛ぶ教室』を読み直してみることにしました。久しぶりに読む『飛ぶ教室』は記憶通り、活気あふれる少年たちの勇ましいお話でとても楽しめましたが、残念ながら、完全に大人目線での読書となってしまったので、どの子もそれぞれに健気でいい子に思えて、ごひいきの子を見つけるのには失敗しました。でも、そんなふうに本を読み返すこと自体が新鮮だったし、すごく楽しかったです。こんな読み方があったか！　とまだまだ知らなかった物語の楽しさを知ることができてとっても得した気分でした。

どんな本が好きでどんな読み方をしているのかを話すことは、自分の内面をさらけ出すことでもあると思います。少なくとも私は好きな本について、他人と話せるようになったのは大人になってからです。とくに繰り返し読んでいる絵本や児童文学についての話はしたくないと思っている時期がかなり長いあいだありました。小さい頃から繰り返し読んでいる本たちは自分を形成している一部だと思っていたので、それを知られるのが嫌だという意識がとても強かったのです。

保育園の頃は友だちがわかっていなくてもおかまいなしに無邪気に自分の好きな本の話をしていたこともありますが……明らかに浮いていたと思います。幼心なりに空気を読んで、少しずつ本の話をするのをやめました。小学校高学年の頃には、仲よしの友だちとは本の話をすることもありましたが、自分の読んでいる本の話をするのではなく、相手の読んでいる本を貸してもらい、その本の話をすることにしていました。そうすれば共通の話題として本の話はできるけれど、自分の読んでいる本を否定されることはないので、気が楽でした。一緒に育ってきた本たちは私にとってパーソナルスペースの内側にいる存在だったので、無闇に人に荒らされたくないという意識が働いていたのです。いま、振り返ると自意識過剰かもしれませんが、それが当時の私なりの自己防衛でした。

それでも、年齢を重ね大学生になり卒論のテーマに絵本と児童文学について書くことになったり、大人になり出版社に勤めることになったりして、頑なに自分の好きな本の話をしないということはなくなりました。ようやく、結局好きなものは好きなのだから仕方ないと思えるようになり、自分から「児童文学が好き」ということをさらりと言えるようになりました。

そして、ちょうどその頃にひょんなことから、「児童文学好き」という共通点があることがわかった人たちと集まってご飯を食べることになりました。仕事で会ったことはあるけれどゆっくり話したことはない人たちと「本の話をしましょう」と集まることにしたのはいいけれど、正直なところ、楽しみ半分戸惑い半分で、はたしてどれくらい自分の趣味嗜好をさらけ出してもよいものだろう？　とちょっと緊張していました。でも、集まって話をしはじめた途端にそんな緊張はすぐに解けました。出身地も育った環境も年齢も家族構成も違うのに、同じ物語を読んできたというだけで、一気に心の距離が近づいたからです。似たような読書体験をしてきたということは、ローラやパディントンやメアリー・ポピンズといった共通の友人がたくさんいるようなもの。その友人たちを介して、すぐに会話がはずんだのでした。物語のなかの固有名詞や登場人物の着ていた服、食べ物や飲み物の話が会話のなかにぽんぽん放り込まれていく楽しさはこれまで私が味わったことのないものでした。あの日のなんとも言えない高揚感はいまでも忘れられません。

『飛ぶ教室』
エーリヒ・ケストナー 作
ヴァルター・トリアー 絵
池田香代子 訳
岩波書店（岩波少年文庫）

数珠つなぎのおもしろさを味わう

ダイドーの冒険

「ダイドーの冒険」のシリーズは、張り巡らされた陰謀と、健気で勇敢な子どもたちのハラハラ・ドキドキの展開で映画やお芝居を見ているようなスピード感が魅力。それぞれ独立して読むこともできますが、シリーズで読むと楽しさが増す粋な仕掛けがされています。

オムニバス形式の映画やお芝居で、つぎつぎにスポットのあたる人物が変わっていく感じ……と言えばわかりやすいでしょうか？

『ウィロビー・チェースのオオカミ』では、主人公のボニーとシルビアを助けてくれるサイモンという少年が出てきます。事件が解決し大団円を迎え、それぞれが未来への希望を語り物語は終わりますが、サイモンはそこでロンドンの美術学校に行きたいと話します。

そして続く『パターシー城の悪者たち』では、物語はサイモンがロンドンの美術学校に行くところからはじまります。今度はサイモンが主人公となり、お話は進みます。運命の歯車が大きく動き、サイモンはさらなる大きな陰謀に巻き込まれていきますが……前作から引き続き出てくる人物もいますし、さらりと描写されていたことが重要な伏線になっていたりして油断できません。

そして、次作の『ナンタケットの野鳥』では、サイモンが事件に巻き込まれるきっかけにもなった下宿の娘のダイドーが主役に。厄介な悪ガキという印象の強かったダイドーが主人公になるとは正直ちらりとも思っていなかったので、はじめて読んだときはとっても驚きました。意外すぎる主人公リレーでしたが、ここからダイドーが大活躍！　私が子どもの頃に読んだシリーズと、現在、冨山房から刊行されているシリーズは順番などが若干違い、以前のシリーズではこの後、『かっこうの木』『ぬすまれた湖』としばらくダイドーのお話が続きます。

数珠つなぎのように登場人物や出来事がつながって広がって、シリーズが進むにつれ、この物語の世界がひとまわりずつ大きくなり、地図が拡がっていくような感覚を味わえます。作者のエイキンは四十年余りかけてこのシリーズを執筆していたそうなので、これから先、どんな世界が広がっていくのか……シリーズ全巻揃うのが楽しみです。

このシリーズは仮想の時代設定のイギリスで繰り広げられる陰謀渦巻く物語で、かなり怖い（悪い）人物もでてくるストーリーで、エンタメ要素満載。ゾクゾクする成分が多いので、こわおもしろいのが好きな子は読むとはまるんじゃないかなぁと思います。

でも、怖がりなうえに、想像力のたくましかった私はこの手のお話はちょっと苦手で（ナルニア国シリーズの『さいごの戦い』は恐ろしすぎて一度読んだきり大人になるまで読み返すことができなかったほどです）本来ならばあまり何度も読み返すタイプのお話ではありません。

それなのに私がこの物語を熟読したのは、食べ物や洋服などの描写が丁寧に書き込まれていることがきっかけでした。

一巻目の『ウィロビー・チェースのオオカミ』の主人公のボニーとシルビアはいとこ同士ですが経済状況がまったく違います。

裕福ないとこの家に預けられることになったシルビアは、おばさんに質素ではあるものの精一杯の準備をしてもらいボニーのお屋敷まで旅をします。

道中、同じ車両に居合わせたおじさんにため息の出るほど豪華なお菓子の箱をすすめられても、おばさんの言いつけを守り、我慢して後からそっとおばさんの持たせてくれたささやかなサンドイッチを食べるシルビアの健気さ……。

その構図を引き立たせるのは……おじさんのすすめたお菓子の箱の中身「ジャムタルトやメイズ・オブ・マナーやレモンチーズケーキやチェルシー菓子パン」と、シルビアのサンドイッチ「ピンクのちり紙みたいにうすっぺらなふわふわしたハムの薄切りが入った小さなロールパン」です（引用は旧版から）。

何度読んでもお菓子の箱の中身にワクワクした後に、シルビアのサンドイッチを想像して切なくなりますし、この場面だけでシルビアがどんな子なのか一気にわかります。

また、ボニーのお屋敷で自分のためにサイズ違いで用意された白い毛皮の帽子と外とうを見て、胸を高鳴らせながらも、自分のグリーンのビロードのコートのことを思い出して胸が痛むシルビア。白い毛皮のコートに比べたら明らかに見劣りのするコートですが、それはおばさんがグリーンのビロードのショールを断ち切ってつくってくれたもの。

さりげない描写に新しい環境への戸惑い・喜び・後ろめたさ……いろいろなものが盛り込まれていて、グッときます。

私は子どもの頃、祖母が半分くらい洋服を手作りしてくれていました。祖母の作ってくれた洋服も大好きだったのですが、みんなが持っている既製品にもこっそり憧れていました。ごくごくたまに洋服を買ってもらえるときの抑えきれない嬉しさと祖母に対するなんとも言えない後ろめたさと……そんな複雑な気持ちを、このシルビアの心情に重ねて読んでしまい、一気にシルビアに親近感を抱き……ここから完全にこのお話のなかに入っていけたのです。冒険物語においても、こういうディテールや心理描写を丁寧に描いてくれるところが、この作品の素敵なところだなと私は思っています。

ハラハラドキドキ楽しめるエンターテイメントとして読んでもよし。描写や心情を丁寧にさらってじっくり楽しむのもよし。どちらの魅力も兼ね備えているハイブリッドなシリーズです。

エイキンの作品はほかにもハチャメチャにおもしろいカラスのモーチマーのシリーズ（残念ながら絶版）や『しずくの首飾り』『アーミテージ一家のお話』（岩波書店）などが

あり、そちらもおすすめ。もっと作品が読まれてほしい作家のひとりです。

『ウィロビー・チェースのオオカミ』
ジョーン・エイキン 作
こだま ともこ 訳
冨山房

いつか私もやかまし村の一員に……

やかまし村の子どもたち

リンドグレーンの作品が大好きなので、ことあるごとにおすすめしていると「リンドグレーンの作品でどれがいちばん好き?」と聞かれることが多々あります。どの作品もそれぞれに好きなので一冊だけを選ぶことはどうしてもできないのですが、リンドグレーンの作品のなかで最も読み返しているシリーズは今回ご紹介する『やかまし村の子どもたち』のシリーズです。

舞台となるやかまし村はスウェーデンにあるとってもとっても小さい村。その村には北屋敷、中屋敷、南屋敷の三軒しか家がありません。子どもたちは豊かな自然のなかで四季とともに、学校に行き、ときにはけんかをし、お手伝いをして過ごしています。彼らは遊ぶこと、楽しむことの天才です。何気ない日常生活のなかにワクワクの

種がたくさん散りばめられています。

リンドグレーンが自身の子ども時代を「遊んで遊んで遊び死にしなかったのが不思議なくらい」と語っており、やかまし村の子どもたちはリンドグレーンの子ども時代そのものなのかもしれません。

大事件が起こるわけでも不思議な出来事が起こるわけでもありませんし、長くつ下のピッピや屋根の上のカールソンのような個性的な登場人物が出てくるわけでもありません。それでも、ひとたびこの本を手に取り、ページをめくれば、やかまし村の子どもたちがめいっぱい遊んで、めいっぱい暮らしを楽しんでいるということが伝わってきて、そこには多幸感に満ちた世界が広がっています。

私が『やかまし村の子どもたち』を最初に読んだのは『長くつ下のピッピ』シリーズを読んだ後でした。一冊目の『やかまし村の子どもたち』を両親からプレゼントされ、すぐにやかまし村が大好きになりました。どうして、あんなに一気に夢中になったのかはいまはもうわかりません。

子ども同士でお買い物に行って間違いのないように買って帰ってこられるかのドキドキ感、はじめての子守りの張り切る気持ちと挫折感、大雪で意地悪な靴屋さんのところで親のお迎えを待つ心細さ……まったく同じ体験ではないけれど、自分自身が知っている体験・感情とやかまし村の子どもたちの生活が絶妙にリンクしたのかもしれません。

とにかく早く次の本も読みたくて、お手伝いをしてお小遣いを稼いで（我が家はお手伝いをしてお小遣いをもらう制度でした）二冊目、三冊目を手に入れたのを覚えています。自分で手に入れた本というのもあって、少しでも長くお話を読んでいたくて自主的に早起きをし、布団のなかでそれこそなめるように読んでいました。

この頃のことは「目が覚めると、隣の布団の小山のなかから『ふふふ……』と笑いが漏れてきてぎょっとした」といまでも母には笑われています。

そんなふうに、あまりにも何度も何度も読み返したおかげで、やかまし村のシリーズに書かれているエピソードがすっかり自分の思い出のなかに組み込まれてしまい、雨の日で外に出かける予定がなくなれば「おかあさんに教えてもらったカステラづくりができるなぁ」（「雨の降るとき」のエピソード）とすぐに思いますし、クッキーを焼くとなったら「ラッセより先にブタの型を使わなくちゃ！」（「やかまし村のクリスマス」のエピソード）と思います。おつかいに行くときは「あぶりソーセージの歌」（「アンナとわたしのお買い物」に出てきます）を、もちろん楽譜はないのでオリジナルの鼻歌で意気揚々と口ずさんでいました。

また、スウェーデンがどこにあるのかもわからないのにスウェーデンの行事や風習にやたら詳しくなりました。

クリスマスに食べるおかゆにはアーモンドが入っていること、アーモンドが入っていた人は次の年に結婚するといわれていることは、ほかのお話にもちょくちょく出てくるエピソードなので私のなかでは当たり前の出来事でしたし、夏至がいつなのかも知らなかったのに、夏至の夜に垣根を九つ乗り越えて九種類の花を摘んで枕の下において眠ると将来結婚する人の夢をみることができるという言い伝えは知っていて、気恥ずかしくて誰にも言いませんでしたけど、大きくなったらやってみたいと思っていました。

また、当時の私は自称魔女研究家でもあったので、やかまし村のみんなが復活祭で魔女の仮装をして「ブロッケン山」に行く遊びをする章を読んだときは大興奮。

「ブロッケン山」といえばプロイスラーの『小さい魔女』にも出てくる魔女にとっては聖地のような山なので「どの国でも魔女はブロッケン山に行くんだね!!」と得意満

面で母に報告をしたものです。現在進行形で自分が興味のあることとお話のなかの出来事が見事にシンクロしたことで、よりこの物語が自分にとって身近なものに感じた瞬間でした。

自分ではいっさい経験したことのないことなのに、何度も読んでいるうちに想像していたことが体験の一部になるというか……想像で体験したことがそのまま私の思い出の一部になっているような不思議な感覚です。

やかまし村の本を開くと、お話を読むのと同時に、自分自身の記憶をたどっているような懐かしい気持ちになります。このシリーズが多くの人に愛されているのは、私以外にもそんなふうに思っている人が多いからかもしれません。

……私がおばあちゃんになってもこのシリーズを読み返すと思いますし、その頃には自分はやかまし村の子どもだったと思い込んでいるかもしれません。

『やかまし村のこどもたち』
アストリッド・リンドグレーン 作
イロン・ヴィークランド 絵
大塚勇三 訳
岩波書店（岩波少年文庫）

物語の世界を旅したこと スウェーデン篇

二十歳になるときに「成人式の振袖と写真の代わりにスウェーデンに行きたい」と両親に懇願し、その二年後に成人式と大学卒業のお祝いを兼ねてという名目で、ようやくリンドグレーン作品の舞台への旅行が実現しました。

その頃は、北欧ブームの少し前で、ガイドブックもあまり種類がなく、スウェーデン語はちんぷんかんぷんでしたが、ちょうど市村久子さん（『おおきなおおきなおいも』の作者）の講演会で、スウェーデン旅行のお話をうかがうことができ、その後も現地の情報をいろいろと教えていただけたのがありがたかったです。元祖・ピッピ好きの母との二人旅行のつもりでしたが「スウェーデン旅行に行くよ」と仲よしの親戚のお姉さんに話したら「私も子どもの頃からピッピが好きだったの！　行きたい!!」ということになり、母と私、そして四歳児のいる親戚の一家・合計五人のドタバタ旅行となりました。

この旅行では、ストックホルムにあるユニバッケン（Junibacken）というリンドグレーンの物語の世界が楽しめるテーマ・パークとヴィンメルビーにあるアストリッド・リンドグレーン・ワールドに行くのが大きな目的でした。どちらもリンドグレーンの物語を好きな人だったら、絶対に楽しめるとても魅力的な場所です。

とくに、アストリッド・リンドグレーン・ワールドについたときは大興奮でした。リンドグレーン作品のなかに幾度となく登場するヴィンメルビーという町にあるそのテーマ・パークは、私にとっては夢のような場所。某夢の国のように立派なアトラクションや仕掛けがあるわけではないのですが、本を読んでいる人にとっては「これが！　あのお話の!!」と思うような建物がそこかしこにあります。『山賊の娘ローニャ』の山賊のお城や、『はるかな国の兄弟』のサクラ谷なども再現されているのにも興奮しましたが、『親指こぞうニルス・カールソン』の気持ちになれる巨大な家具の置いてあるお家があったり、『やねの上のカールソン』の家に実際にオンドリの絵が飾ってあったり、細部に工夫がされていて感激しました。また、その建物を舞台にして、劇も上演されていました。劇は当然、すべてスウェーデン語で演じられていましたが、旅行前に張り切ってリンドグレーン作品を再度、熟読していた私に言語の壁はなく、スウェーデンの子どもたちにまじってかぶりつきで楽しみました。

敷地内を歩いていると、物語の登場人物の扮装をしたキャストに出会うことができます（リンドグレーン・ワールドは夏休みのあいだしか営業しておらず、子どものキャストは毎年オーディションで決まるそうです）。正直、イメージと違うなぁというキャストにも多数出会いましたが、みなさん楽しそうに扮装していたのでそこはご愛敬。あまりに楽しそうだったので、なんとかキャストになってここに滞在できないものかと扮装できそうなキャラクターを母と真剣に話し合ったくらいです。

きらびやかさや派手さはないですが、実際に物語を読んだ人たちがこだわって作っているというのが伝わってきて、どこまでも愛を感じる居心地のよい空間でした。でも、だからといって作品を知らなければ楽しめないわけではありません。一緒に行った四歳の親戚の子も、のびのびとその場所を楽しんでいて、「ここに来たことがきっかけでリンドグレーンの作品に興味を持つ子どもたちもたくさんいるのだろうなぁ」と想像すると、嬉しくなりました。リンドグレーン好きな親が子どもを連れてきて、子どももリンドグレーンが好きになって……脈々と作品が愛されているのだと実感しました。

テーマ・パークや記念館だけではなく、街のいろいろな場所でもリンドグレーンが愛されていることがわかります。本屋さんや雑貨屋さん、郵便局などで作品のキャラクターやグッズを見かけることが多く、本当に国民的な作家なのだと再確認しました。日本ではそれほど有名ではない作品にも、まんべんなくスポットが当たっていることも嬉しかったですし、私自身に、リンドグレーンの作品が楽しいときも苦しいときも側にいてくれたという想いがあるので、明るいお話もシリアスなお話も両方とも支持されていることが、なんだか誇らしかったです（完全なるファン目線ですが）。

初めて行った場所なのに、どこか懐かしい気持ちがして不思議な感じでしたが、それは本のなかに出てくる場所や光景が、すでに自分の記憶の一部になっていたからだと思います。頭のなかで想像していたものと答え合わせをしているような、まるで、もうひとつの故郷に帰ってきたような、これまで海外で感じたことのない感覚を味わいました。その後、なかなか機会がなくて行くことができていませんが、いままでも、その気持ちは変わりません。思い出すだけで幸せな気持ちになれる場所があるのはいいものですし、リンドグレーンの本を読めばいつだってまたもうひとつの故郷に帰った気分になれます。

「リンドグレーンが好き」でつながった二人

石井登志子（翻訳家）×越高綾乃

二人の出会い

――お二人が出会ったときのことをお聞かせください。

石井　はっきり覚えている、私。松本で、講演会で話をすることになったときに、ちいさいおうち（書店）の越高令子さん（綾乃さんのおかあさん）が、すごくお世話してくれはったんです。松本の駅からお店に連れてきてもらったら、綾乃ちゃんが帰ってきはって、はじめましてって会ったの。ひと言ふた言話しただけで、すぐリンドグレーンを好きなのがわかった感じがしました。ふたりとも、まわりの人のことが見えなくなるくらい夢中でしゃべりました。

越高　そうでしたね。もうずーっと話してて。翌日いらした岩波書店の編集の方が「前からお知り合いだったんですか？」って驚かれました。

石井　話がほんとうに通じて、すごく印象的だったわ。それで、私が言ったそのときの名台詞は「リンドグレーン検定があったら、綾乃ちゃん一位やね」って。なんでも知ってはるの。

越高　やったー！　って大喜びして。

石井　あの出会いは楽しかったから、忘れられない。小四の孫も、ピッピのあの長い名前、ピッピロッタ・タベモノッタ・ロールカーテン・クルクルハッカ・エフライムノムスメ・ナガクツシタを、すらすら言えると、得意になっていますけれど。

越高　すごく楽しかった。「ピッピは好き」とか「やかまし村は好き」っていう人には会ったことがあったけれど、「リンドグレーンが好き」っていう人はそれまであんまりいなかったから、ものすごく嬉しくって。石井さんはなんでもご存知でしょう？

石井　そんなことない、ない。私は、読んでも結構忘れているから。綾乃ちゃんには及ばないけれど、一応全部読んでいるってだけ……。

越高　なんの話をしても通じるの。どの話をしても知っている人と出会った喜びと嬉しさと。

――石井さんにとってもこんなにリンドグレーンのことを知っている人はほかにいないという感じですか？

石井　ええ、いないと思う。

越高　「知ってる」っていうより単純に「好き」っていうことなんだと思います。

マディケンとアストリッド

越高　それから、石井さんは知っているだけじゃなくて、リンドグレーンご本人にもお会いしたことがあるし、（挿絵の）ヴィークランドさんにも会ってらっしゃるし、私にしたらもう生き字引のような人がここにいる！　と、興奮してしまいました。

石井　リンドグレーンさんに会えたのは、ラッキーだったと思います。当時は、もう断筆宣言をされた後だったし、あまり人と会いたくなかったらしく、会う話は全部断ってはったみたい。ところが私が、マディケン（『おもしろ荘の子どもたち』『川のほとりのおもしろ荘』の主人公の女の子の名前）を訳したっていうので、リンドグレーンさんは、ピカッときはったみたいで、呼んでくださったの。マディケンって、アストリッドが七歳のときからの友だちで、アン-マリーって人のあだ名っていうか呼び名ですが、小さいときに交わした「生涯親友でいよう」という約束どおり、マディケンが八十四歳で亡くなるまで、ふたりはずっと親友だったのです。

越高　私、最初マディケンの話を読んだときは、マディケンはリンドグレーンの分身かと思ったんですよ。そしたら本人ではなく親友のことで、驚きました。もう、生涯の友だちって感じですよね。

石井　そう。「生涯の友だち」ってこんなふたりを言うのねと言うぐらい。その大好きなマディケンの名前を使って書いたのが『おもしろ荘の子どもたち』で、綾乃ちゃんの思ったとおり、外見はマディケンで、中身はアストリッドの分身のようなキャラクターです。

――そのマディケンのお話を訳したということで、リンドグレーンが「いらっしゃいよ」って言ってくださったんですか？

石井　そう。だから、すごくラッキーだったと思っています。

越高　お家のなかを案内してくださったんですよね？

石井　はい。私は、約束の時間にちゃんと行けるように、アパートの前のヴァーサ公園で時間を合わせて、緊張しながらピーンポンを鳴らしたんですが、開けるなりギュッとハグしてくれはって、いっぺんに気持ちがほぐれました。美味しいものを食べさせてくれはったり……、話しやすいように寛がせてくださったり……。それから、家のすみずみまで案内してくれはったの。リンドグレーンさんの版権を扱っておられ、秘書でもあるシャスティン・クヴィントさんもご一緒でした。なにを訊いてもよかったし、なんでも答えてくれはったし、私を喜ばせようと、冗談とか、おもしろいことをいっぱい言ったりして、お人柄がすごくわかりました。

越高 いつ頃、訪問されたんですか？

石井 えーと、一九九四年です。

スウェーデンという国

越高 石井さんは最初、どうして、スウェーデン語を習おうと思われたのですか？

石井 夫が仕事でスウェーデンに行くことになり、家族も一緒にということで、京都に住んでられたスウェーデンの宣教師の方に習いはじめました。その宣教師のいらした教会は、子どもの頃に日曜学校へ行ったり、高校のときに友人たちとバイブルクラスに参加したりと、ご縁があったんです。スウェーデンへ行くことになってから、スウェーデン語を一年足らず教えてもらいました。スウェーデンへ行って、「習ったのが役にたった！」と思いました。大学の語学クラスに入って、いろんな国の人たちと学ぶのは、とても楽しかったです。

越高 スウェーデンは何年いらしたんですか？

石井 そのときは、一年半くらいです。その後、何度も行く機会に恵まれましたが……。

越高 それで習得されたなんてすごいですよね。帰国して、すぐ翻訳のお仕事をされたのですか？

石井 そのスウェーデンで受けた授業がすごくよくて、感銘を受けていましたので、帰ってきてからも続けて勉強していたんです、ひとりで。そしたら、出版社から問い合わせがあって……。スウェーデン在住の方から、私のことを聞かれたようでした。信じられなくて、本当に出版されるのか、心配でした。

越高 石井さんがスウェーデンに住んでいらし

たときには、リンドグレーンの本ってなにか読まれましたか？

石井　読みました。ちょうど、うちの子どもたちが読む年頃だったし。私たちが住んでいたのは、ルンドっていう南の町だったんですが、当時は外国の子どもがスウェーデンにやってきたら、その子たちの母国語の本を、ストックホルムの図書館から取り寄せてくれはるようになっていたのです。そういうわけで、図書館で貸してもらって、読んでいました。ひとクラスの人数も少ないし、教育に力を入れている優れた国ですから。

「確実に自分が知っていること」を

越高　石井さんのお子さんが好きだったリンドグレーン作品はなんでしたか？

石井　そうねぇ、『名探偵カッレくん』シリーズとか、ピッピとか、どれも楽しんで読んでいました。私は、やっぱり『はるかな国の兄弟』かなぁ。

越高　ほんとにいいですよねぇ、『はるかな国の兄弟』。何回読んでも泣いちゃう。

石井　いいねぇ。話は変わるけれど、二〇一五年に訳した『リンドグレーンと少女サラ　秘密の往復書簡』っていう本があるんですが、手紙のなかで、サラがちょっと聞きかじったテーマでなにか物語を書きたいってリンドグレーンに相談したの。すると、リンドグレーンは「そんなよく知らないことを書こうと思っても書けないから、自分がほんとうによく知っていることを書くのがいい」って助言していました。確かに、『長くつ下のピッピ』はちょっと空想が入っているけれど、ピッピのごたごた荘の家があるのは、町からちょっと外れた「郊外」。つまり、アストリッドの住んでいたネース牧場に近く、彼女のよく知っている所です。ピッピの前に出版された『サクランボたちの幸せの丘』(徳間書店)は、まさに育ったネース牧場が舞台になっています。リンドグレーンはいつも自分のよく知っている環境を舞台にしているのです。たとえば『名探偵カッレくん』のシリーズは、働いていた新聞社のあったヴィンメルビーの町を舞台に書かれていますし、『おもしろ荘の子どもたち』もアン-マリーの家がモデルで、そこはネース牧場とヴィンメルビーの町とのあいだにある家で、いまも建っています。リンドグレーンは「身近な自分のまわり」を舞台にした物語から書いていったの。その後、アストリッドは身ごもり、ストックホルムで暮らすようになりました。そのストックホルムを舞台にした『やねの上のカールソン』の三部作を書いて……少しずつ作品の舞台の範囲を広げていっています。それから、美しいロスラーゲンの群島のひとつフルスンドに、別荘を持つようになり、『わたしたちの島で』を書きました。そして、ついに舞台は「つぎの世」になったの。『はるかな国の兄弟』ね。そのあいだには大好きな森を舞台にした『山賊のむすめローニャ』も書いています。リンドグレーンは「確実に自分が知っていること」をテーマにして書いていかれたと思います。

リンドグレーンの書き方をお手本にして

越高 『はるかな国の兄弟』のような作品と、『長くつ下のピッピ』のような作品では、原語で読むと、文体などは年齢で変えていたりするんですか?

石井 いいえ、そんなに変わらない。翻訳する前に何度か原文を読んでいると、訳文が浮かびあがってきます。リンドグレーンは、自分で書いた文章を何度も何度も推敲しはるの。最初は速記で書いて、それをタイプにして、それから声に出して読んで、何度も推敲される。私もそれを真似て、自分が声に出して読んで、耳で聴いて心地よいように、推敲します。とくに子どもが聞いて聞きやすく、わかりやすく、読みやすいようにと、心がけています。

越高 たとえば、いま石井さんが「やかまし村」三部作を訳したでしょう？「やかまし村」は、私は自分が読み慣れているのは前のほうだったんだけど……。

石井 そうでしょうね。

越高 でも、いま石井さんの「やかまし村」を読んで、（ニイマンの）挿絵の力もあるんですけれど、子どもたちの年齢とかいろんなことを考えると、石井さんの訳はポップというか、なんというか子どもらしく弾んでるっていうのがすごくいいなって思うんです。最初にこっちを読んだらこのイメージになっていただろうなって。ヴィークランドの挿絵の大塚訳だと、なんというか子どもたちが「いい子」っていうか。

石井 挿絵が全然違うから……。今回使ったニイマンさんの挿絵の「やかまし村」が、スウェーデンでは、一般的に子どもたちに読まれている本の挿し絵なんです。

越高 そうですよね。

石井 訳文は、ニイマンさんの挿絵のあのリーサたちを常に見ながら訳すようにしていました。でも、ヴィークランドさんの絵もいいよねぇ。

越高 いいですよねぇ。ヴィークランドさんはこのお家（石井さんのご自宅）にもいらしたんですよね？

石井　そう、こられました。以前ヴィークランドさんの原画展が東京であり、その機会に京都まで足を延ばされたの。大使館の方とこられました。私も、彼女のストックホルムのお家へ寄せてもらったわ。海の見える高台にある素敵なお家で、立派なアトリエがありました。

越高　わぁ〜、すごく貴重な体験ですね！

翻訳っていったいなになん？

――新訳をいま出すことについてはどう思われますか？

石井　最初は、新訳出すなんて、とびっくりしました。大塚先生のあんなに親しまれている訳があるのに、なんで私がそんなおこがましいことできるのって思って、抵抗があって。でも、新訳を出すということをきっかけに、「翻訳っていったいなになん？」と、あらためて考えることになりました。

ずっと昔の学生時代に、英語の授業でテキストを訳すときは、原文と訳文とのあいだに透明なガラス板があるみたいに、そっくり一字一句違わない訳をしようとしていました。明治以降文学作品は、翻訳というのはそういう感じで受け止められてきていたと思います。句点が三つあったら翻訳でも三つつけるとか、「！」がついていたら、それを生かす翻訳文をつけるとか、改行は守るとか、そういう原文どおりに訳されてきました。いまでも私は、「原文を大切に」と思っています……。けれど、実は翻訳っていうのは完璧に正しい翻訳は存在しないのだということが、だんだんわかってきました。たとえば、「I am a girl」といった簡単な文でも「私は女の子です」「私は少女よ」「ウチは女や」

とか、いろんなふうに訳せますからね。大塚先生の訳を原文と合わせてみると、原文では地の文のところが会話で表現されているところもあるし、原文どおりではないわけですが、日本語として、わかりやすければ、いいのです。

私はいちばん最初に翻訳文を編集者に渡すときは、ほぼ自分では原文どおり訳したつもりのものを渡しますが、編集者の人は原文から離れて、日本語として読んでくださる。その結果ここの段落は長いから分けたほうがいいとか、ここはひとつにしたほうがいいとか、いろんな提案をしてくださる。翻訳っていうのは、実は日本語の文章がどうなのってことが問われているのですから。十人が訳したら、十通りの翻訳ができることになります。

越高　確かに、翻訳者によってだいぶ雰囲気が変わるなぁと思います。

石井　新訳を出す者としてはプレッシャーがあるけれど、五十年経つと親しみのある大塚訳だけれど、確かにちょっと子どもには古いかなと思われる表現があることで、新訳を出す時期に来てたかな、と思っています。

「書く」ことの基礎になった『戦争日記』

越高　いままで訳した作品のなかでとくに印象深いものってありますか?

石井　どれも印象深いですが、強いていえば、『リンドグレーンの戦争日記 1939-1945』かな。これは、リンドグレーンがまだ作品を一冊も出版していない、アルバイトをする主婦だったときに、第二次世界大戦のヨーロッパ戦況を書きとめたものです。日本のことも書かれていますが。一九三九年、ドイツのヒトラーがポーランドに攻め入った九月一日に、「ああ！　今日、戦争が始まった」という文章からはじまって、六年数カ月間戦況が変わるたびにつけていきました。ヨーロッパの第二次大戦の推移をほぼ記録していることになります。この日記が、彼女の「書く」ことの原点になったのではと考えられますが、三十二歳の家庭の主婦がどうして戦争に興味をもったかって、ふつうに考えるとちょっと不思議でしょ？

なぜリンドグレーンが戦争日記をつけはじめたかと言ったら、それは一九一四年からはじまった第一次世界大戦を子どものとき、七歳ぐらいで経験しているからだと思います。子どもたちによく話してくれたお父さんは、後に「エーミル」シリーズになった自分の子どもの頃のことだけでなく、当時の世界戦争のことも話してくれていました。そのため、一九一八年に第一次世界大戦が終わったとき、アストリッドはこれでもう兵隊さんが死ななくてすむと、すごく喜んだのです。「戦争はいやだ」という記憶を持ちつつ育ったので、再び戦争がはじまったということに衝撃を受け、今度の戦争をちゃんと見届けようと思ったのでしょう。

越高　日記として文章で残したというのがさすがだなぁ。

石井　日記に書かれているのは、戦争の推移だけではありません。爆撃される国には、子どもたちがいることを嘆き、平和になったとしても、亡くなった子どもや兵士を親の元に返すことはできないし、強制収容所で殺された者の家族にとっては、忘れることはできない。後にリンドグレーンが平和を願い、暴力は絶対にだめ、そして子どもたちの権利を守ろうとしたことなどがすでに語られています。

日記は、リンドグレーンの文学的才能がすでに開花しているがごとく、簡潔で見事な文章で書かれています。彼女は突然作家になったのではなく、日記を書いていた頃から……いいえ、もっと以前から、才能が備わっていたのです。

越高　誰かに見せるというわけでもないのに、こういうふうに書けるっていうのがすごいですよね。

石井　欲もなんにもなく書きとめはったというのが……すごい。何冊もの日記は、仕事机の脇の洗濯カゴのなかに、七十年間ほどほったらかしだったのですから。私はこの日記を訳せてすごくよかったなぁと思っています。この日記に出会うまでに、私はリンドグレーンの作品を三十五作くらい訳して、その間、現在八十六歳になられたアストリッドの娘のカーリンさんにお会いしたり、メールのやり取りをしたりしましたが、日記のなかで当時五歳のカーリンや、当時高校生だった息子のラッセ（一九八六年に亡くなった）に出会えて、とても幸せでした。

スウェーデン児童文学の伝統

越高　最後に、スウェーデンの児童文学の伝統について、どのように考えているか教えていただけますか？

石井　エルサ・ベスコフ（一八七四－一九五三）の描いた数々の絵本はみんなの大きな財産ですね。ストーリーのある本格的な絵本としてはベスコフからと言えるでしょう。彼女は、その後五十年ほどにわたって読み物や絵本を合わせて四十冊ほど書きました。彼女が幼い頃から愛した森や湖、花やキノコなど身近な自然を友として育った彼女のものとして、作品は特徴づけられます。

スウェーデンでは、ベスコフの絵本を、ひいおばあちゃんも読んだ、おばあちゃんも読んだ、おかあさんも読んだ、そして私も読んだ、というようなうらやましいことがおこります。いろんな世代の者が一緒に森へ散歩に行っても、「あの岩かげにトロールがいる」と言い合え、わかり合えるのです。

伝統といえば、ベスコフはトペリウスを読んで育ち、リンドグレーンはベスコフをはじめいろいろな本を読んで育ち、というように読み継がれていく連鎖があるようです。リンドグレーンの作品のなかで、『カイサとおばあちゃん』という短編集があって、そのなかに、「ペッレ、コンフセンブー小屋へ引っこす」という短編があります。ペッレという男の子が、おとうさんが間違ったことをいったのが気に入らなくて、庭にある小屋へ家出をすることに決めたとき、小屋へ持っていく袋に、ボールやハーモニカを入れ、ベスコフの『もりのこびとたち』(福音館書店)という絵本を脇に抱えましたという箇所があります。リンドグレーンとベスコフの接点が見えたように思いました。

越高　ロッタちゃんの映画でもロッタちゃんの誕生日プレゼントはベスコフの『ブルーベリーもりでのプッテのぼうけん』(同前)でしたね！

石井　そうね！　リンドグレーンの次の世代……ペーテル・ポール(一九四〇-)、ウルフ・スタルク(一九四四-二〇一七)、マッツ・ヴァール(一九四五-)などたくさんの作家が生まれています。

リンドグレーンが、ピッピを発表したとき、子どもたちからの熱狂的な声とは別に、教育界などから非難の声があがったのですが、「スウェーデン児童文学の王さま」と呼ばれるレナート・ヘルシング(一九一九-二〇一五)は「リンドグレーンはスウェーデンの児童文学の壁に突破口を開いた」って、きちんと擁護したの。ちなみに、リンドグレーンは「スウェーデン児童文学の女王」って呼ばれていますが。そのときのヘルシングの年齢を計算してみたら、彼はまだ二十六歳くらいだったの。そんな若くてそんな素晴らしい言葉が言えるほど立派な人だったのね。スウェーデンの大人も子どももみんな口ずさめるくらいの詩を書いている詩人なの。確かに、「王さま」って呼ばれるのにふさわしい発言をしてはるなって、つくづく感心しました。こうした立派な先輩作家たちに刺激を受けて、次の世代が育ってきているのね。子どもの尊厳を尊重するっていうか、子どもを大切にする伝統は、スウェーデンの児童文学の作品にはちゃんとあるような気がしています。

（二〇二〇年十一月十六日　石井さんのご自宅にて）

※書名で注記がないものはすべて岩波書店刊です

対談を終えて

石井さんと話しているといつも時間があっという間に過ぎてしまいますが、こんなふうに翻訳のお仕事のことやスウェーデン文学のお話などをまとめてお聞きする機会はなかなかなかったので、今回はいろいろなお話をじっくりうかがうことができて、とても楽しかったです。お話していたら、またリンドグレーンの本を読み返したくなりました。

（越高綾乃）

石井登志子（いしいとしこ）　同志社大学卒業。『おもしろ荘の子どもたち』「エーミル」シリーズ、『決定版　長くつ下のピッピの本』などのリンドグレーン作品やベスコフの絵本作品の翻訳を数多く手がける。ほかにも『愛蔵版アルバム　アストリッド・リンドグレーン』『リンドグレーンと少女サラ　秘密の往復書簡』『暴力は絶対だめ！』『リンドグレーンの戦争日記 1939-1945』などがある。

おわりに

ひとりっ子の私にとって幼い頃に繰り返し読み聞かせてもらった絵本たちは幼なじみのような家族のような存在です。一方で、自分で選び、自分で読み進める児童書はときに親友であり、先生であり……そのときどきの自分の内面が投影されている分身のような存在でした。そのため、ほかの人と楽しさが共有できなくても寂しいというよりも、むしろ「私だけの友だち」がいるような気がして、ちょっとした優越感や独占欲がありました。自分だけのお気に入りの物語があるということが心の支えになっていたと思います。両親のおかげで自宅にもお店にも絵本や読み物がたくさんある環境ではありましたが、とくにお店の本の扱いは非常に厳しく注意を受けていたので、その本たちのなかから「いつか読んでみたい本」をいつも見定めていました。そのため、読みたかった本、お気に入りの本が「お店の本」から「自分の本」になるときの嬉しさは格別でした。

小さい頃は少なからず本のなかに友だちを求めていた部分がありますが、いまでは、新しい出会いや大切な友人ができるきっかけを本が作ってくれるようになりました。大好きな物語がきっかけとなって、私に大事な出会いを引き寄せてくれたことが何度もあります。この本を作る機会をくださった編集者の天野みかさん、対談を引き受けてくださった石井登志子さんとの出会いもそうでした。また、以前から好きだったイラストレーターの木下綾乃さん（同じ名前ということにも勝手にご縁を感じています）にイラストを描いていただけたことも私にとっては嬉しい出会いとなりました。本を通じて、このような新しい一歩を踏み出すきっかけをいただけたことにとても感謝しています。子どもの頃に出会った本がこんなにも人生を豊かにしてくれているなんてすごい！　かけがえのない存在を見つけることができたことはほんとうに幸運でした。

自分にとって大切な物語を持つことは、とても幸せなことです。本と向き合う時間は自分だけのものですが、本が思いがけない世界へ連れて行ってくれることだってあります。

私が大切な物語たちに出会えたように、この本が誰かにとって大切な物語に出会うきっかけになれるとしたら、こんなに嬉しいことはありません。

越高綾乃

二〇二〇年十二月

著者略歴

越高綾乃（こしたかあやの）
長野県松本市生まれ。創業40年を迎えた児童書専門店「ちいさいおうち」の一人娘。大日本絵画、評論社営業部を経て、現在、ちいさいおうちにて広報を担当している。

祖母が作ってくれたエプロンドレスとボンネットをかぶった従姉と著者（右）

つぎに読むの、どれにしよ？
——私の親愛なる海外児童文学

2021年2月1日　初版第1刷発行
2021年6月30日　　　第2刷発行

著　者　越高綾乃

発行者　竹村正治

発行所　株式会社 かもがわ出版
〒602-8119　京都市上京区堀川通出水西入
TEL 075-432-2868　FAX 075-432-2869
振替　01010-5-12436
http://www.kamogawa.co.jp

印刷所　シナノ書籍印刷株式会社

ISBN978-4-7803-1141-9　C0095　Printed in Japan